Can Seo

A BBC Television course
for beginners in Gaelic

Gaelic language adviser,
teaching course designer and
television teaching texts:

Dr Donald John Macleod
Department of Celtic Studies
Glasgow University

Producer:

Norman McCandlish

BBC BOOKS

Can Seo
A BBC Television course for beginners in Gaelic

20 programmes on BBC 1 (Scotland)
first broadcast from October 1979

Two LP discs or tape cassettes
accompany this book and can be obtained
through booksellers or direct from:
BBC Publications
Queen Margaret Drive
Glasgow G12 1DG

This book has been published in conjunction
with a series on BBC 1 (Scotland) 'Can Seo'

Published to accompany a series of programmes
prepared in consultation with the
BBC Broadcasting Council for Scotland

© The Authors and the British Broadcasting Corporation
First published 1979. Reprinted 1979, 1980, 1981, 1983, 1991, 1992
Published by BBC BOOKS
A division of BBC Enterprises Ltd,
Woodlands, 80 Wood Lane, London W12 0TT

Printed in England by Butler & Tanner Ltd, Frome and London
Cover printed by Clays Ltd, St Ives plc

ISBN 0 563 16290 2

This book is set in 10 on $11\frac{1}{2}$ pt Monophoto Univers
by Tradespools Limited, Frome, England

Illustrations by Brian Robbins

Contents

Introduction

'Can Seo' means 'say this' and throughout the series we will encourage you to speak Gaelic at every opportunity.

'Can Seo' is for adult beginners in Scottish Gaelic. The course is designed to give you a basic Gaelic vocabulary and an idea of some of the elementary structures of the language, so that you can conduct a simple conversation in Gaelic. The emphasis is on the spoken word so it is important that you find people to talk to, either socially or in classes.

The course has three inter-dependent parts. There are twenty television programmes, a book and two LP discs (or cassettes). The television programmes serve as an introduction both to the Gaelic language and the social and cultural strands which distinguish the Gaelic speaker in the context of Scotland and the United Kingdom. The book revises the language and vocabulary of the programmes and contains exercises in speech, comprehension and the grammar of the language. The discs (or cassettes) complement the exercises in the book and serve as guides to pronunciation. However, if you have not seen the television programmes, you can still learn Gaelic from the book, together with the discs/cassettes.

The programmes

We will begin each programme by presenting you with basic vocabulary and language structures. There will be plenty of opportunities for practice during the programme and film sequences will show the language in its natural context. A section of the programme will explore the background to the language and its underlying culture. Each week a serial story will round off the programme, emphasising the basic vocabulary of the series to give you practice in comprehension.

The book

Each chapter begins with extracts from the serial story, so that you can revise the language immediately after the programme. In the 'Can Seo' section, the grammatical structures are revised. 'Can Seo' is an elementary course. We will deal with general rules of grammar only, exceptions to rules will be indicated only if they occur in the series. Where there are synonymous phrases or expressions, we will in the main, use one alternative consistently.

Obair

This section of the book lays stress on the oral side of the language and should be used in conjunction with the disc/cassette which contains complementary exercises as a prompt to speech. If possible find someone who will work with you to give you practice in speaking Gaelic. All the vocabulary in the series is contained in a glossary at the back of the book, together with a key to the exercises.

Using the course

Try to see the programme before going on to the book and disc/cassette. Spend as much time as possible on the sounds of the language. Try to find a Gaelic speaker to talk to.

Dialects

Throughout the Gaelic speaking area there are a variety of dialects, as there are in English. We have chosen Skye dialect for the teaching element of the course, although the other dialects will be heard on television and in the serial on the discs/cassettes.

1 Aon
Ciamar a tha thu?

Na Bonaidean: Pàirt 1

Eilidh and Anna work in Dòmhnall's Craft Shop. Catriona and Alasdair work in the Taigh-Osda an Eilein hotel, Alasdair as a chef. Iain, Eilidh's husband works on a fishing boat.

Scene I: The craft shop.

EILIDH	Dé tha thu a' dèanamh?
DOMHNALL	Tha mi a' dèanamh pairseal. Dé tha thusa a' dèanamh?
EILIDH	Chan eil càil.
DOMHNALL	Seo. *Handing her the parcel; Anna enters.* Ah, tha mi ag iarraidh cofaidh.
ANNA	Dé tha thu ag iarraidh, Eilidh?
EILIDH	Tha mi ag iarraidh cofaidh.
ANNA	Bainne?
EILIDH	Tapadh leat.
ANNA	Bainne?
DOMHNALL	Tapadh leat. Ciamar a tha thu, Anna?
ANNA	Tha gu math, tapadh leat. Dé tha thu a' dèanamh?
DOMHNALL	Tha mi ag obair. Tha mi a' dèanamh pairseal.

Eilidh is not amused.

Scene III: Eilidh and Iain's house – the evening.

EILIDH	Cofaidh? Cofaidh, Alasdair?
ALASDAIR	Tapadh leat, Eilidh. Tapadh leat. Ciamar a tha thu?
EILIDH	Tha gu math . . . . Tha mi sgìth. Bainne?
ALASDAIR	Tapadh leat. Dé tha thu a' dèanamh?
EILIDH	Chan eil càil. Well . . . . . tha mi ag òl cofaidh.

Alasdair yawns and stretches: He's sleepy.

ALASDAIR	Ai . . . . . ai . . . . . ai . . . . . . ai.
EILIDH	Ciamar a tha thu?
ALASDAIR	Tha mi sgìth. *He puts his empty cup on the tray.* Tapadh leat, Eilidh.

As Alasdair goes towards the kitchen door, Eilidh puts up a hand to stop him . . . . . . enter Iain!

ALASDAIR	Hallo, Iain. Ciamar a tha thu?
IAIN	Tha gu math.
EILIDH	Ciamar a tha thu, Iain?
IAIN	Tha gu math.
EILIDH	Dé tha thu ag iarraidh? Cofaidh?
IAIN	Chan eil càil.
EILIDH	Lager? Uisge-beatha?
IAIN	Chan eil càil.
ALASDAIR	Oidhche mhath, Iain.
IAIN	Oidhche mhath.
EILIDH	Oidhche mhath, Alasdair.

e	*he*
mise	*emphatic form of 'mi'*
Na Bonaidean	*The Tammies*
Oidhche Mhath	*Goodnight!*
pairseal	*parcel*
seo	*'here you are'*
sgìth	*tired*
thusa	*emphatic form of 'thu'*

Names

Alasdair	*Alastair, Alexander*
Anna	*Ann, Anne*
Catriona	*Catriona, Catherine*
Dòmhnall	*Donald*
Eilidh	*Helen*
Iain	*Ian, John*
Mairead	*Margaret*
Sìm	*Simon*

The following names will also be used in the exercises, from time to time.

Calum	*Malcolm*
Màiri	*Mary*
Oighrig	*Effie*
Seumas	*James*
Seònaid	*Janet, Jessie*
Tormod	*Norman*

Can Seo   **Tha mi ag obair**

Remember:
a   The verb in Gaelic normally comes before the subject,
eg. THA MI . . . . . .
b   AG is used with 'verbal nouns' which begin with a vowel,
like OBAIR. Otherwise, use A', e.g. A' DEANAMH.

Tha	mi thu	a' dèanamh . . . ag iarraidh . . . ag obair ag òl	

Tha	mi thu	ag iarraidh ag òl	bainne brot cofaidh uisge uisge-beatha

And as a question:

Ciamar a Dé (a)	tha . . . . . . ?

Obair

1

Tha	mi thu Iain	ag iarraidh ag òl a' dèanamh ag obair	uisge pairseal cofaidh bainne uisge-beatha chocolate lager brot

*Try to make up as many sentences as you can using one word
from each section, reading them aloud as you do so.*

2   You're asked *'Dé tha thu ag iarraidh?'*
How would you reply in the following situations:

   a   You've just finished your lunch.
   b   In the grocer's.
   c   In a cafe.
   d   You're with a friend in the pub.

3   This time you're asked *'Dé tha thu a' dèanamh?'*
You're:

   a   Hard at work (at 'Can Seo').
   b   You've finished your 'Can Seo' lesson and are having
a well-earned rest – ie. doing nothing.
   c   Drinking a glass of water.
   d   Making coffee.

4 You've given the following answers.

What questions have you been asked?

a . . . . ? Tha mi ag obair;
b . . . . ? Tha gu math, tapadh leat;
c . . . . ? Bainne, tapadh leat;
d . . . . ? Tha mi ag òl lager.

5 Sìm is delivering to a cafe when he spots his friend Alasdair sitting at a table. Read out their conversation, filling in the gaps.

SIM   Hallo, Alasdair.
ALASDAIR   Hallo. Ciamar a tha thu?
SIM   . . . . , tapadh leat.
ALASDAIR   . . . . ?
SIM   Tha mi ag obair.
            . . . . ?
ALASDAIR   Tha mi ag òl cofaidh.
            Dé tha thu ag iarraidh?
SIM   . . . . bainne, tapadh leat.

2 A dhà
A bheil thu ag iarraidh cofaidh?

Na Bonaidean: Pàirt 2

Dòmhnall is trying out a new idea – tweed bags: in this episode he is showing one of them to Catriona and Alasdair in the hotel.

Scene IV: The Bar, lunchtime. Dòmhnall enters.

CATRIONA	Hallo, a Dhòmhnaill – ciamar a tha thu an-diugh?
DOMHNALL	Tha gu math, a Chatriona.
CATRIONA	A bheil thu fuar?
DOMHNALL	Tha. Agus tha mi sgìth.
CATRIONA	A bheil thu ag iarraidh lager an-diugh?
DOMHNALL	Chan eil, tha mi ag iarraidh uisge-beatha agus uisge, tapadh leat.

He becomes aware of Alasdair's new record.

DOMHNALL	Tha an reacord sin math.
CATRIONA	Tha. Tha e glé mhath. Dé tha thu ag iarraidh?
DOMHNALL	Tha mi ag iarraidh brot teth. Tha mi fuar.
CATRIONA	Glé mhath. Alasdair, brot!
DOMHNALL	Slàinte.
CATRIONA	Slàinte.

As Alasdair comes through from the snack bar, Dòmhnall produces his new tweed bag.

ALASDAIR	Dé tha an sin?
DOMHNALL	Baga clò. Dé do bheachd?
ALASDAIR	Tha thu a' dèanamh gu math, a Dhòmhnaill. Tha sin math.

Catriona puts the bag on Alasdair's head.

CATRIONA	The sin math.
ALASDAIR	A Chatriona!

The bag lands in the soup. Dòmhnall isn't amused.

CATRIONA	Tha mi duilich, a Dhòmhnaill.
DOMHNALL	Tha thu duilich! Tha *mise* duilich. *He stomps out.*
ALASDAIR	Tha am brot math an-diugh.

an sin	*there*
baga	*bag*
clò	*tweed*
Dé do bheachd?	*What's your opinion?*
duilich	*sorry*
iad	*they*
reacord	*record*
Slàinte	*Cheers!*
Thig a-staigh	*come in*

Can Seo   Tha mi sgìth

Remember: THA MI SGITH means 'I am tired'.

A bheil thu sgìth

Remember: When you want to ask a question, you use A BHEIL? instead of THA.
A BHEIL THU SGITH? – 'Are you tired?'

Chan eil mi sgìth

Remember: CHAN EIL is the negative corresponding to THA and A BHEIL?
CHAN EIL MI SGITH – 'I am not tired'.

A bheil?	Tha
	Chan eil

Tha	mi	ag obair
Chan eil	thu, sibh	ag òl
A bheil?	e	a' dèanamh
	i	ag iarraidh

Tha	mi (etc.)	teth
Chan eil		fuar
A bheil?		sgìth
		math

Am biadh sin

Remember: SIN can be used as an adjective meaning 'that': the word for 'the' must be used in this case. On its own SIN can mean 'that', 'that is' or 'there is'. AN SIN means 'there'.

Am bainne

Remember: AM means 'the'. It is used with *masculine* nouns beginning with B, P, F, M.

An cofaidh

Remember: AN also means 'the'. It is used with *masculine* nouns beginning with consonants other than B, P, F, M.

Am	bainne	An	cofaidh
	brot		
	biadh		

Obair

1

A bheil?	thu	ag obair
Tha	mi	fuar
Chan eil	e, i	teth
	an cofaidh	ag òl cofaidh
	am biadh	sgìth
	am brot	ag iarraidh bainne
		math

Make up as many sentences as you can, using one word
(or phrase) from each column; read each sentence aloud as you
do so. Try starting off each time with a question *A bheil?* and
answering with a 'yes' (*tha*) and a 'no' (*chan eil*) sentence.
Eg. *A bheil thu sgìth? Tha mi sgìth; and, Chan eil mi sgìth.*

2 Read this dialogue out aloud - try to persuade someone else
to read the other part with you – and then try answering the
questions, preferably from memory.

MAIRI Thig a-staigh.
IAIN Ciamar a tha thu?
MAIRI Tha gu math, tapadh leat. Dé tha thu a' dèanamh?
IAIN Chan eil càil: chan eil mi ag obair idir an-diugh.
MAIRI Glé mhath. A bheil thu ag iarraidh cofaidh?
IAIN Tha, tapadh leat.
MAIRI *Comes in with two cups of coffee*
Sin an cofaidh.
IAIN Tapadh leat.
MAIRI A bheil e teth?
IAIN Tha.
MAIRI A bheil thu ag iarraidh bainne agus siùcar?
IAIN Tha, tapadh leat. Ah, tha sin math.

a A bheil Iain ag obair an-diugh?
b Dé tha Iain agus Màiri ag òl?
c A bheil an cofaidh fuar?
d A bheil Iain ag iarraidh bainne agus siùcar?
e A bheil an cofaidh math?

First reply *Tha* or *Chan eil*; then, reply in full sentences, eg.
Chan eil; chan eil Iain ag obair an-diugh. (This doesn't apply
to **b** of course.)

3 You're home after a hard day's work, you've settled down in front of a big fire with a cup of coffee. You're asked the following questions: answer them *Tha* or *Chan eil*.

    a A bheil thu sgìth?
    b A bheil thu ag obair?
    c A bheil thu fuar?
    d A bheil thu ag òl uisge-beatha?
    e A bheil thu ag òl cofaidh?

4 Tormod has started a new job.

    a Dé tha Tormod a' dèanamh?
    b A bheil am brot math?
    c A bheil Tormod a' falbh?

3 Trì
Anns a' bhùth

Na Bonaidean: Pàirt 3

It's Saturday morning. Eilidh is discussing wallpaper samples with Alasdair. Iain, to change the subject, mentions next week's ceilidh. Later, Eilidh finds out that Alasdair is taking Anna and appears not to be too pleased.

Scene I: Eilidh and Iain's, Saturday morning.

IAIN	Hhm! Tha céilidh ann Di-haoine.
EILIDH	O?
IAIN	Tha, tha e an sin anns a' phaipear.
EILIDH	Càite bheil an céilidh?
ALASDAIR	Anns a' bhàr. Tha mise a' dèanamh biadh – buffet.
EILIDH	A bheil, Alasdair? Agus có tha a' seinn aig a' chéilidh? A bheil e anns a' phaipear, Iain?
IAIN	Sin e. *Showing her the paper.*
EILIDH	O, tha iad sin math.
ALASDAIR	Tha.
EILIDH	A bheil thu a' dol ann, Alasdair?
ALASDAIR	Tha. A bheil thu fhéin agus Iain a' dol ann?
EILIDH	A bheil, Iain? *He turns back to his paper.*
ALASDAIR	Ooops. Obair! Tha mise a' falbh.

Scene III: Later, Eilidh's kitchen: there is a knock on the door.

EILIDH	Thig a-staigh.
ANNA	Tha e fuar an-diugh.
EILIDH	Tha e teth a-staigh an seo. A bheil thu ag iarraidh cofaidh?
ANNA	Tapadh leat.
EILIDH	A bheil thu sgìth?
ANNA	Tha – tha mi glé sgìth. Ah . . . Tha seo teth– tha e math.
EILIDH	A bheil thu ag iarraidh siùcar anns a' chofaidh? Tha e air a' bhòrd an sin.
ANNA	*Looking at the pattern book.* Tha sin math.
EILIDH	Chan eil Iain ag iarraidh paipear ùr air a' bhalla idir.

ANNA	O, a bheil Iain a-staigh?
EILIDH	Chan eil. Tha e anns . . . . *They hear the front door open.*
	O, sin e . . . .
IAIN	O, tha mi fuar. A bheil cofaidh ann?
EILIDH	Tha e air a' bhòrd an sin. Sin cupa.
ANNA	Chan eil thu ag iarraidh paipear ùr idir, Iain?
IAIN	Chan eil.

Eilidh isn't pleased. Anna decides to change the subject.

ANNA	Tha céilidh anns a' bhàr Di-haoine. A bheil thu fhéin agus Eilidh a' dol ann, Iain?
IAIN	Tha. *Eilidh is surprised – but pleased.*
	A bheil thu fhéin a' dol ann, Anna?
ANNA	Tha. Tha mi fhìn agus Alasdair a' dol ann.
IAIN	Thu fhéin agus Alasdair. Well, well!

Eilidh is surprised again and apparently none too pleased this time.

an seo	*here*
ann	*there*
a-staigh	*inside*
balla	*wall*
bonaid	*a bonnet, tammy*
Di-haoine	*Friday*
Di-sathurna	*Saturday*
mifhìn	*myself*
ùr	*new*

Can Seo Air a' bhòrd

Remember: AM BORD means 'the table'. 'On the table' is AIR A' BHORD. ie., after words such as AIR 'on' AIG 'at' ANNS 'in', the word used for 'the' is A' and the beginning of the word is usually altered. This is called 'aspiration': see page 96.

Aig *Màiri*	Aig *a' chéilidh*
	Air *a' bhòrd*
	Anns *a' bhùth* Anns *a' chofaidh* Anns *a' chupa*

A Dhòmhnaill   *Compare Dòmhnall*

Remember: If you're addressing someone by name in Gaelic,
you start off with A, the name itself is altered at the beginning
and, in masculine names, at the end also. The changes
can take a variety of forms. Examples are given on the
disc/cassette.
When someone calls you by name, the reply is SEADH.

A Chatriona	Seadh
A Dhòmhnaill	
(A) Iain	
A Mhairead	

Càite bheil ?

Remember: Although other question words such as CO? 'who',
DE? 'what', CIAMAR A? 'how' are followed by THA, CAITE 'where'
is followed by BHEIL.

• Ciamar a	tha ?	Càite	bheil ?
• Có (a)			
• Dé (a)			

Obair

1

A bheil?	siùcar	air a' bhòrd
Tha	bainne	aig a chéilidh
Chan eil	Iain	anns a' bhàr
	e, i	anns a' chupa
	am biadh	anns a' chofaidh
	am brot	anns a' bhùth

Using one word or phrase from each column, make up as many
sentences as you can, reading them aloud as you go along. Try
starting off each time with a question, answering THA . . . .
or CHAN EIL. . . . . . .

2   Look at the picture on page 17.

   a   A bheil cupa air a' bhòrd ?
   b   A bheil bainne air a' bhòrd ?
   c   A bheil uisge-beatha air a' bhòrd ?
   d   A bheil siùcar air a' bhòrd ?
   e   A bheil brot air a' bhòrd ?

Answer '*Tha*' or '*Chan eil*'.

3 Still looking at the picture, answer this question –
in full sentences:
Dé tha air a' bhòrd?

4 Read the dialogue, aloud, then look at the questions
that follow.

DOMHNALL Càite bheil Seumas?
SEONAID Tha e anns a' bhàr.
DOMHNALL O?
SEONAID Tha; tha céilidh anns a' bhàr a-nochd.
DOMHNALL Dé tha Seumas a' dèanamh aig a' chéilidh?
SEONAID Tha e a' seinn.
DOMHNALL A bheil thu fhéin a' dol ann?
SEONAID Chan eil. Tha mi ag obair a-nochd.
DOMHNALL Càite bheil thu ag obair?
SEONAID Tha mi ag obair anns a' bhùth.

a Có tha anns a' bhàr?
b Càite bheil an céilidh?
c Có tha a' seinn aig a' chéilidh?
d A bheil Seònaid a' dol ann?
e Dé tha Seònaid a' dèanamh a-nochd?
f Càite bheil i ag obair?

4 Ceithir
Oidhche mhath leat

The ceilidh: Eilidh needles Alasdair, whose quick temper eventually gets the better of him.

Scene III: The bar ceilidh: there's an interval for food. Anna and Alasdair are sitting together but Eilidh tries to stir things up.

ANNA   Tha am brot math.
ALASDAIR   Tha.
ANNA   Chan eil thu ag òl càil?
ALASDAIR   Chan eil.

Eilidh suddenly appears and plonks a pint in front of him.

EILIDH   Seo, Alasdair. Pinnt.
ALASDAIR   Chan eil mise ag iarraidh . . . . . . *but she has walked away.*
    Anna isn't pleased at this turn of events. Eilidh sits down beside Dòmhnall and puts a whisky in front of him.
EILIDH   Seo. O, tha mi fuar.
DOMHNALL   Càite bheil an còta agad?
EILIDH   Sin e. An còta dubh sin.
DOMHNALL   Sin am baga agad. *He suddenly livens up.* O, tha mise a' dèanamh baga.
IAIN   Tha thusa a' dèanamh baga! Ciamar?
DOMHNALL   Tha mi a' dèanamh baga *tartain* anns a' bhùth. A bheil paipear agad?
IAIN   Eilidh, a bheil paipear agad?
EILIDH   Seo paipear.
DOMHNALL   *He begins to sketch furiously.* Baga tartain, dubh agus dearg. Dubh an seo. Dearg an sin. Dé do bheachd?

Meanwhile at Anna and Alasdair's table.

ANNA   *Sarcastically.* Seo pinnt Eilidh.
ALASDAIR   Chan eil mi ag iarraidh pinnt.
ANNA   Tha mi duilich. Chan eil Campari agus Soda agam.
ALASDAIR   Chan eil mi ag iarraidh . . . .

As he pulls his hand back he pulls the pint over himself.

EILIDH	Seall briogais ùr Alasdair. Seo paipear.	
ANNA	Suidh sios, Alasdair!	
CATRIONA	*Coming in.* Seall briogais Alasdair! *She finds it very funny:* *Alasdair doesn't.*	
ALASDAIR	Briogais Alasdair! Briogais Alasdair! Oidhche mhath. *He storms out.*	
EILIDH	*Turning to Dòmhnall.* Dé tha thu a' dèanamh, a Dhòmhnaill?	
DOMHNALL	Tha mi a' dèanamh baga tartain, tartan dubh agus dearg. Seall.	

baga tartain	*a tartan bag*
còta	*coat*
dearg	*red*
geansaidh	*pullover*
isd!	*be quiet*
pinnt	*pint*
seall	*look at*
spàin	*spoon*
suidh sios	*sit down*
'Bha air mo ghràdh	*'Was what my love*
san t-samhradh'	*wore in summertime'*

Can Seo A' bhùth

Remember: With *feminine* nouns, the word for 'the' is usually A' and the first letter of the noun is 'aspirated'.

Latha math

Remember: With a *masculine* noun, like LATHA, you use the ordinary form of the adjective, without change.

bàr	math	bainne	teth
brot		biadh	fuar
càr		brot	
céilidh		cofaidh	
cofaidh		latha	
latha		uisge	
paipear			
uisge-beatha		bòrd	brèagha
		càr	
		cupa	
		latha	

Oidhche mhath

Remember: When an adjective is used along with a feminine noun such as OIDHCHE the beginning of the adjective is 'aspirated'. There is a fuller note on this on page 98.

briogais nighean	bhrèagha
feòil	fhuar theth
bùth oidhche	mhath

Tha càr agam

Remember:

a AGAM may be regarded as a combination of AIG and MI (or as the MI form of AIG); AGAD of AIG and THU or the THU form of AIG; and AGAIBH the SIBH form.

b THA with AIG (and AGAM, etc.) means 'to have' eg. *'Tha càr agam'* – 'I have a car'.

Tha	càr	agam
Chan eil		agad
A bheil		agaibh

Tha fhios agam

Remember: THA FHIOS AGAM means 'I know'. CHAN EIL FHIOS AGAM – 'I don't know'.

An càr agam

Remember: AGAM (etc.) can be used as an adjective meaning 'my'. The word for 'the' has to be used also, in this case.

An càr	agam agad

Obair

1 Taking each of these three adjectives in turn, place it with each of the nouns that follow, changing the first letter of the adjective where necessary. (eg. bùth mhath, biadh math).

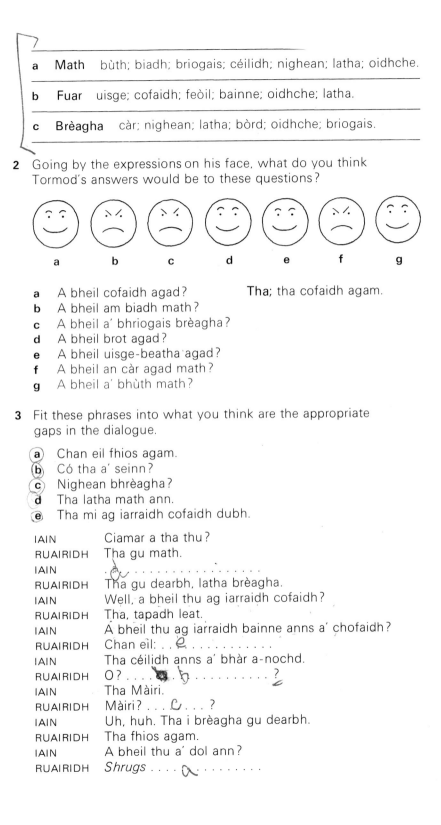

a Math bùth; biadh; briogais; céilidh; nighean; latha; oidhche.

b Fuar uisge; cofaidh; feòil; bainne; oidhche; latha.

c Brèagha càr; nighean; latha; bòrd; oidhche; briogais.

2 Going by the expressions on his face, what do you think Tormod's answers would be to these questions?

    a   b   c   d   e   f   g

a A bheil cofaidh agad?   Tha; tha cofaidh agam.
b A bheil am biadh math?
c A bheil a' bhriogais brèagha?
d A bheil brot agad?
e A bheil uisge-beatha agad?
f A bheil an càr agad math?
g A bheil a' bhùth math?

3 Fit these phrases into what you think are the appropriate gaps in the dialogue.

a Chan eil fhios agam.
b Có tha a' seinn?
c Nighean bhrèagha?
d Tha latha math ann.
e Tha mi ag iarraidh cofaidh dubh.

IAIN	Ciamar a tha thu?
RUAIRIDH	Tha gu math.
IAIN	.d. . . . .
RUAIRIDH	Tha gu dearbh, latha brèagha.
IAIN	Well, a bheil thu ag iarraidh cofaidh?
RUAIRIDH	Tha, tapadh leat.
IAIN	A bheil thu ag iarraidh bainne anns a' chofaidh?
RUAIRIDH	Chan eil: . .e . . . .
IAIN	Tha céilidh anns a' bhàr a-nochd.
RUAIRIDH	O? . . . . .a. .b. . . . .?
IAIN	Tha Màiri.
RUAIRIDH	Màiri? . . .c. . . ?
IAIN	Uh, huh. Tha i brèagha gu dearbh.
RUAIRIDH	Tha fhios agam.
IAIN	A bheil thu a' dol ann?
RUAIRIDH	*Shrugs* . . . .a. . . . .

5 Cóig
Air a' bhàta

Na Bonaidean: Pàirt 5

Dòmhnall is working on his tartan bag idea. Anna makes it clear she doesn't like tartan souvenirs. Iain has a serious accident on the boat. Anna and Alasdair make up.

Scene I: The craft centre: Dòmhnall and Eilidh are busy. Dòmhnall with tartan samples.

EILIDH   A Dhòmhnaill, dé tha thu a' dèanamh?
DOMHNALL   Dé?......
EILIDH   Dé tha an sin agad?
DOMHNALL   Trobhad an seo, Eilidh. Seall! *Showing the tartan samples.*
EILIDH   Well, well!
DOMHNALL   An toigh leat iad?
EILIDH   O, 's toigh l' Tha iad brèagha, a Dhòmhnaill. 'S toigh leam sin ......dubh agus dearg agus geal......

Anna enters with coffee.

EILIDH   *Going through the samples.* Sin am Black Watch, agus Royal Stewart..... Campbell of Argyll, O, tha sin brèagha......
DOMHNALL   Tha. Dé tha an seo?
EILIDH   Chan eil fhios agam.....
ANNA   A bheil sibh ag iarraidh cofaidh?
EILIDH   Tha, tapadh leat, Anna.
ANNA   A Dhòmhnaill!
DOMHNALL   O.
ANNA   A bheil thu ag iarraidh cofaidh?
DOMHNALL   Cofaidh? Tha....ah......glé mhath, tapadh leat. Mmm Anna.....trobhad an seo.
ANNA   Dé tha ann?
EILIDH   Tha iad math, a Dhòmhnaill – 's toigh leam iad.
DOMHNALL   Trobhad, Anna.....
ANNA   Tha *mise* a' dèanamh cofaidh.
DOMHNALL   Mmm.....tha mi duilich......
ANNA   Eilidh, a bheil thu ag iarraidh bainne agus siùcar anns a' chofaidh?
EILIDH   Chan eil: tha mi ag iarraidh cofaidh dubh agus chan eil mi ag iarraidh siùcar idir.

DOMHNALL	Hangover?
EILIDH	Och isd.
ANNA	Tha an cofaidh agaibh air a' bhòrd.
DOMHNALL	Ah, glé mhath . . . . . tapadh leat.

She goes over to look at the samples.

DOMHNALL	Dé do bheachd, Anna?
ANNA	Ugh! Cha toigh leam seo idir. Tha mi duilich, a Dhòmhnaill, ach cha toigh leam idir iad.
DOMHNALL	Well, chan eil fhios agam . . . . .
ANNA	Tha fhios agamsa! Chan eil iad math idir . . . . . chan eil, chan eil . . . . . .
EILIDH	Och isd, Anna. Tha iad brèagha . . . . .
DOMHNALL	*Firmly.* Tha iad math . . . . . .

agamsa	*emphatic form of 'agam'*
a-nochd	*tonight*
bàta	*boat*
cidsin	*kitchen*
Có tha ann	*who is it?*
Dé tha ann?	*What is it?*
duine	*man, person*
fón	*telephone*
geal	*white*
ospadal	*hospital (an t-ospadal: the hospital)*

Can Seo 'S toigh leam

Remember: 'S TOIGH LEAM means 'I like'. In answer to the question AN TOIGH LEAT?, the L of the third word is retained in the answer: hence, 'S TOIGH L' (yes) or CHA TOIGH L' (no).

'S	toigh	leam
Cha		leat
An?		le . . .

Mo bhiadh

Remember: After MO 'my' and DO 'your' the beginning of most nouns is 'aspirated'.

mo	bhiadh
do	bhriogais
	chòta
	chofaidh

Seo

Remember: SEO like SIN, can be used in a number of ways:

a SEO – 'here is'; this
b AN OIDHCHE SEO – 'this night';
c AN SEO – 'here'.

Obair

1 *'Dé tha thu ag iarraidh . . . . ?'*
   Think of as many answers as you can for this question,
   imagining that you are a in the grocer's shop;
   b in a clothes shop; c sitting at home with a friend.

2 Reply 'Tha' or 'Chan eil' (as yourself now):
   a A bheil thu aig a' bhòrd?
   b A bheil thu ag òl tì?
   c A bheil thu blàth?
   d A bheil thu a' gabhail do bhiadh?
   e A bheil feasgar math ann?
   f A bheil e blàth an-diugh?
   g A bheil thu a' gabhail siùcar anns an tì?
   h A bheil còta dubh agad?
   i A bheil càr ùr agad?

3 Tormod has strong views on some matters – 'Tha mi a'
   gabhail bainne anns a' chofaidh. Tha brot math, ach chan eil
   feòil fhuar math idir. Tha Màiri uabhasach brèagha. Tha bùth
   Iain math. Tha an càr ùr brèagha. Chan eil a' bhriogais sin
   uabhasach math idir.'

   How do you think he would reply if he were asked the following
   questions. Answer *'S toigh I''* or *'Cha toigh I'''*.

   a An toigh leat cofaidh dubh?
   b An toigh leat brot?
   c An toigh leat feòil fhuar?
   d An toigh leat Màiri?
   e An toigh leat bùth Iain?
   f An toigh leat an càr ùr?
   g An toigh leat a' bhriogais sin?

As *yourself* again, answer questions 4 and 5.

4 a   An toigh leat an còta seo?
   b   An toigh leat a' bhriogais seo?
   c   An toigh leat an nighean seo?

5 a   An toigh leat tì?
   b   An toigh leat siùcar anns an tì?
   c   An toigh leat uisge-beatha?

6 Sia
Am bi thu a' tighinn an seo tric?

Na Bonaidean: Pàirt 6

Iain is in hospital, with a broken leg. Eilidh is upset after visiting him and takes the rest of the day off work. Alasdair rushes home to comfort her.

Scene III: The snack bar, Anna enters

CATRIONA	Hallo Anna, a bheil e fuar a-muigh?
ANNA	Tha, tha e uabhasach fuar.
CATRIONA	A bheil thu ag iarraidh brot?
ANNA	Chan eil – tha mi ag iarraidh sandwiches le feòil fhuar. Tha sinn trang anns a' bhùth an-diugh.
CATRIONA	O?
ANNA	Tha. Chan eil Eilidh ag obair idir an-diugh. Bha i aig an ospadal.
CATRIONA	An robh? Agus ciamar a bha Iain?
ANNA	Tha a chas briste.
CATRIONA	A bheil? O, tha mi duilich. Agus ciamar a tha Eilidh fhéin?
ANNA	Bha i a' rànail air a' fón . . . . . ach bidh i ceart gu leòr.
CATRIONA	Bithidh. Seo do shandwiches.
ANNA	Tapadh leat.

Alasdair comes in.

ANNA	Hallo, Alasdair.
ALASDAIR	Hallo, Anna. A bheil thu a' falbh?
ANNA	Tha, tha sinn uabhasach trang anns a' bhùth an-diugh.
CATRIONA	Chan eil Eilidh ag obair an-diugh idir.
ALASDAIR	O? Càite bheil i?
ANNA	Bha i aig an ospadal agus bha i a' fónadh. Bha i a' dol dhachaigh.

Alasdair begins to unfasten his apron.

CATRIONA	Càite bheil thu a' dol?
ALASDAIR	Cha bhi mi fada. Tha am biadh anns a' chidsin. Bidh thu ceart gu leòr.
CATRIONA	Cha bhi mi ceart gu leòr. Alasdair, trobhad an seo. Chì thu feasgar i.

But Alasdair leaves anyway.

a	his
briste	broken
cas	leg
fónadh	phoning
peann	pen
rànail	crying

Bha mi ag obair an-dé

Remember: BHA is a form of the past tense of the verb 'to be'. It forms the 'simple' past tense and is also used after DE? CIAMAR A? CO? CUIN A? and NUAIR A.

An robh thu ag obair an-dé?

Remember: ROBH is a form of the past tense of the verb 'to be'. It is used after CHA (negative), AN? (question) and CAITE? (where?).

Bidh mi ag obair a-nochd

Remember: BITHIDH is the 'simple' future of the verb 'to be'. There is also a short form BIDH. It can also be used as a 'habitual present tense'. *hopefully etc.*

Note: This form *cannot* be used after CIAMAR? CO?, etc.

Am bi thu a' tighinn an seo tric?

Remember: BI pronounced the same way as BIDH is used after AM? (question) and CAITE AM? (where?). The form used after CHA (negative) is BHI.

	Tha	Bha	Bithidh/bidh
Ciamar a? Cuin a? Dé (a)? Có (a)? Nuair a	tha	bha	*This form will be given later*
A? An? Am?	bheil	robh	bi
Chan Cha	eil	robh	bhi

27

Obair

1 Read Tormod's story out aloud, and answer the questions, if possible from memory.

Bha mi fhìn agus Oighrig ag obair anns a' bhùth an-dé. Bha sinn uabhasach trang agus bha sinn sgìth. Bha Iain a-staigh agus bha e ag iarraidh briogais ùr. Bha nighean a-staigh agus bha i ag iarraidh còta dubh, ach cha robh còta dubh agam. Bha an nighean brèagha. Chunnaic mi i aig a' chéilidh an-raoir. Bha i a' seinn. Tha i math air seinn.

Cha robh mi ag obair an-diugh idir. Bha mi anns a' *chafé* feasgar. Chunnaic mi an nighean bhrèagha an sin. Bha i a' gabhail biadh – feòil fhuar agus salad – agus bha i ag òl bainne. 'S toigh leam i.

A-nochd nuair a bha mi a' tighinn dhachaigh, chunnaic mi an nighean bhrèagha. Bha i anns a' chàr aig Iain. Cha toigh leam Iain idir.

a Dé bha Tormod a' dèanamh an-dé?
b An robh e sgìth?
c Có bha a-staigh anns a' bhùth?
d Dé bha iad ag iarraidh?
e Càite robh an nighean an-raoir?
f Dé bha i a' dèanamh?
g Dé bha an nighean a' dèanamh anns a' *chafé*?
h Cuin a chunnaic Tormod an nighean anns a' chàr aig Iain?
i An toigh le Tormod an nighean sin?
j An toigh le Tormod Iain?

2 As yourself now: answer these questions as they relate to you.

a An robh thu trang an-diugh?
b Dé bha thu a' dèanamh an-diugh?
c An robh thu anns a' bhàr an-raoir?
d An robh thu anns a' bhùth an-diugh?
e An robh oidhche mhath ann an-raoir?
f An robh latha matha ann an-diugh?
g Có chunnaic thu an-diugh?

3 Iain meets Mairead at a dance. Fit the phrases into what you think are the correct gaps in their conversation.

1 'Bidh mise an seo a h-uile oidhche!'
2 'Oidhche mhath leat fhéin!'
3 'Ciamar a tha thu?'
4 'Mise Iain'
5 'Cha bhi mi ag òl idir'
6 'Tha mi a' falbh dhachaigh'
7 'Bithidh'

IAIN	3 . . . . ?
MAIREAD	Tha gu math.
IAIN	4 . . . .
MAIREAD	Hallo Iain. Mise Mairead.
IAIN	Am bi thu a' tighinn an seo tric?
MAIREAD	Cha bhi. Am bi thu fhéin?
IAIN	1 . . . .
MAIREAD	An toigh leat am bàr seo?
IAIN	'S toigh l' gu dearbh. A bheil thu ag iarraidh lager?
MAIREAD	Tha mi duilich ach . 5 . . . .
IAIN	Càite bheil thu a' dol?
MAIREAD	6 . . . .
IAIN	Am bi thu an seo a-màireach?
MAIREAD	7 . . . .
IAIN	Glé mhath; chi mì a-màireach thu.
MAIREAD	Ceart gu leòr. Oidhche mhath leat.
IAIN	2 . . . .

4 Answer these questions, as yourself now.

Note: BI is here the 'habitual present tense'

Am bi thu ag òl uisge-beatha?
Am bi thu trang a h-uile latha?
Am bi thu ag òl tì tric?
Am bi thu ag obair air Can Seo tric?
Am bi thu a' gabhail siùcar anns a' chofaidh.

7 Seachd
Dé an uair a tha e ?

Na Bonaidean: Pàirt 7

All except Anna visit Iain in hospital. Later, in Eilidh's house, Iain has another new idea for the shop – tartan bonnets.

Scene I: Halfway through, at Iain's hospital bed.

CATRIONA   Càite bheil Dòmhnall?
EILIDH   Bha e trang an-diugh.
CATRIONA   A bheil e a' tighinn an seo?
EILIDH   Tha . . . . cha bhi e fada . . . . . Ah . . . . . seo e.

Dòmhnall enters.

DOMHNALL   Tha mi duilich . . . . ciamar a tha thu, Iain?
IAIN   Chan eil mi dona, a Dhòmhnaill.
DOMHNALL   *Pointing to Catriona's new tartan bag.* Tha am baga brèagha – dé do bheachd, Iain?
IAIN   Dé an uair a tha e?
EILIDH   Tha e cóig mionaidean gu a h-ochd.
ALASDAIR   O! A bheil an càr agadsa, a Chatriona?
CATRIONA   Tha.
ALASDAIR   A bheil an càr agadsa, a Dhòmhnaill?
DOMHNALL   Tha.
ALASDAIR   Agus tha càr aig Eilidh – trì càraichean.

All looking at him knowingly but not saying anything.

ALASDAIR   *Making for the door.* Tha mise ag obair a-nochd.
CATRIONA   A bheil gu dearbh?
DOMHNALL   Cuin?
ALASDAIR   Aig deich mionaidean an deidh a h-ochd. Tha mi a' falbh.

He leaves, but just before he closes the door Dòmhnall calls him back and throws him his car keys.

DOMHNALL   Seo.
ALASDAIR   Tapadh leat, a Dhòmhnaill.

Scene II: Back at Eilidh's house, they all have tea

EILIDH   Bainne, a Dhòmhnaill?

DOMHNALL   Tapadh leat, Eilidh.

EILIDH   Siùcar?

DOMHNALL   Trì spàinean.

CATRIONA   Trì spàinean!

EILIDH   Siùcar, a Chatriona?

CATRIONA   Aon spàin, tapadh leat, Eilidh.

CATRIONA   Bha an céilidh math an-raoir, nach robh?

The other three are obviously embarrassed.

DOMHNALL   Bha e glé mhath, nach robh, Eilidh?

EILIDH   Cha robh e dona.

Dòmhnall's eye falls on Catriona's tartan bag again.

DOMHNALL   Tha am baga sin brèagha – am baga tartain.

They all laugh. Dòmhnall is puzzled.

EILIDH   *Shaking her head.* O, tartan! Tartan! Chan eil càil ach tartan!

CATRIONA   Dé do bheachd air tea-cosy tartain, a Dhòmhnaill?

DOMHNALL   Tea-cosy tartain. Glé mhath.

ALASDAIR   Agus egg-cosy tartain.

DOMHNALL   *Quite serious about it all.* Alasdair, tha sin uabhasach math.

CATRIONA   *Picking up tea-cosy and putting it on Eilidh's head.* Bonaidean tartain?

DOMHNALL   Bonaidean tartain, tha sin math, a Chatriona. Bonaidean tartain! Sin e! Bidh sinn a' dèanamh bonaidean tartain!

agadsa	*emphatic form of 'agad'*
aig an taigh	*at home*
'chan eil càil ach'	*'nothing but . . . . .'*
nach robh?	*wasn't it?*

Can Seo   Aon mhionaid

Remember: AON means 'one'. It aspirates the first letter of the word following (words beginning with 't' and 'd' are exceptions, eg. AON DUINE)

Dà mhionaid

Remember: DA means 'two'. If it is not followed by a noun, it takes the form A DHA. DA also causes 'aspiration'. It is usually followed by the singular.

Cóig mionaidean

Remember: The numbers from TRI to DEICH are followed by the plural, usually. SGILLIN and (sometimes) LATHA are exceptions to this. These numbers have A before them if there is no noun with them.

Fichead mionaid

Remember: Use the singular with: FICHEAD, LETHCHEUD, and CEUD. Forty is DA FHICHEAD. Twenty one is AON AR FHICHEAD.

Mionaid/Mionaidean; Not/Notaichean; Bòrd/Bùird

Remember: These are three common ways of forming the plural of nouns. There are also some other ways, as the table below shows. The plural of the definite article 'the' is NA (NA H- before vowels).

briogais	briogaisean	bàta	bàtaichean
briosgaid	briosgaidean	càr	càraichean
céilidh	céilidhean	còta	còtaichean
cas	casan	latha	lathaichean
ceud	ceudan	not	notaichean
cofaidh	cofaidhean		
mionaid	mionaidean		
nighean	nigheanan		
paipear	paipearan	bòrd	bùird
sgillin	sgillinean	feasgar	feasgair
spàin	spàinean		
uair	uairean		

bùth	bùithtean
cupa	cupannan
duine	daoine
oidhche	oidhcheannan

Còtaichean ùra

Remember: The plural of the adjective has an A (or E) at the end (but it isn't always used in speech). The adjective is aspirated after the BORD – BUIRD type plural.

Eg. *Bùird bhrèagha*

Obair

1 Dé na tha am biadh? Read out each item, then give the total.

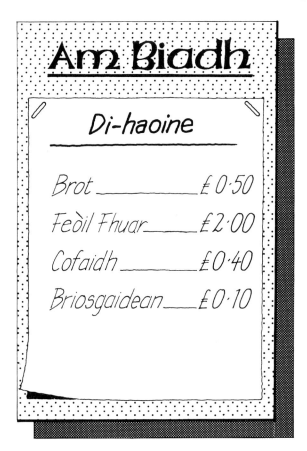

Am Biadh

Di-haoine

Brot _____ £0·50
Feòil Fhuar _____ £2·00
Cofaidh _____ £0·40
Briosgaidean _____ £0·10

2 Read out these sentences, giving the correct form of the words in brackets in each case.

a Tha aon (còta) lethcheud not, tha dà (còta) ceud not, tha ceithir (còta) dà cheud not.

b Tha dà (briosgaid) deich sgillin, tha deich (briosgaid) lethcheud sgillin.

c Tha aon (cupa) cofaidh fichead sgillin, tha cóig (cupa) cofaidh not.

d Tha aon (bòrd) ceud not. Tha trì (bòrd) trì ceud not.

3 Dé an uair a tha e?

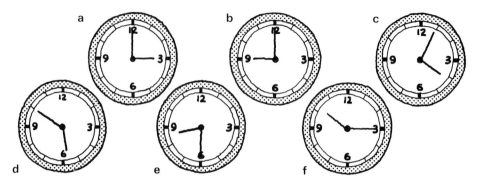

4 Dé tha an seo?

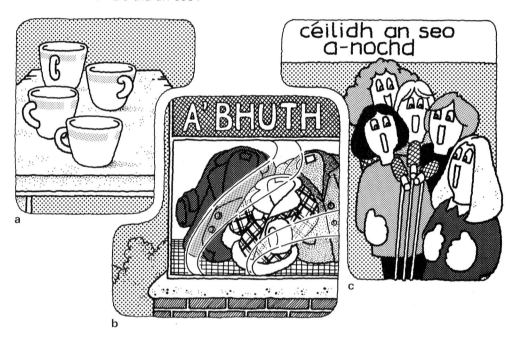

céilidh an seo a-nochd

A' BHÙTH

a Tha . . . . air a' bhòrd.
b Tha . . . . anns a' bhùth.
c Tha . . . . aig a' chéilidh.

8 Ochd
An do chuir thu a-mach an cat?

Iain is back home, with Eilidh fussing over him. She is very impatient with Alasdair. Alasdair, very tired from helping her redecorate, feels hard done by and, eventually, loses his temper.

Scene II: Eilidh and Alasdair in the kitchen

EILIDH   Càite an do chuir thu an t-iasg?
ALASDAIR   Chuir mi air a' bhòrd e.
EILIDH   Càite?
ALASDAIR   Sin e.

Eilidh unwraps one small haddock.

EILIDH   Chan eil an t-iasg seo uabhasach math.
ALASDAIR   Och . . . . . . *He sits down on a chair.*
EILIDH   Seall. Shuidh thu air còta Iain.
ALASDAIR   Tha mi duilich.
EILIDH   An do chuir thu air an teine?
ALASDAIR   Chuir mi air an teine.
EILIDH   A bheil thu ag obair an-diugh?
ALASDAIR   Bidh mi ag obair feasgar.
EILIDH   Càite bheil an sgian, Alasdair?
ALASDAIR   Chan eil fhios agam.
EILIDH   Bha i agad an-diugh. Càite an do dh'fhàg thu i?

Alasdair tilts the chair back on to its two back legs and balances his heel on the edge of the table.

EILIDH   Na cuir do chasan air a' bhòrd.
ALASDAIR   Tha mi duilich.

And so it goes on until Alasdair has had enough and goes to his own room.

Scene IV: The spare bedroom in Iain and Eilidh's house: Alasdair is still annoyed.

ALASDAIR   *Mimicking Eilidh.* Alasdair, dùin an doras . . . . Alasdair, na dùin an doras. Alasdair, fàg sin . . . . . . Alasdair, trobhad.

The door opens and Eilidh comes in.

EILIDH   Alasdair, cuir dheth an solas sin.
ALASDAIR   Cuir fhéin dheth an solas.
EILIDH   Cuir sios an reacord sin. Tha e ro àrd.
ALASDAIR   Chan eil e ro àrd. Tha e ceart gu leòr.
EILIDH   Alasdair, chan eil Iain gu math.
ALASDAIR   *Exploding into a rage.* Tha fhios agam. An-diugh, an-dé, a-màireach, chan eil càil ach . . . . . *Mimicking Eilidh again.* Chan eil Iain gu math.
EILIDH   Alasdair!
ALASDAIR   Tha mise a' falbh.
EILIDH   Alasdair. Tha e ceart gu leòr. Na falbh idir.
ALASDAIR   Tha – mi -a' falbh. Tha mi sgìth. Chì mi sibh. *Taking his case from under the bed.*

carson	*why*
dùin	*shut*
forca	*fork*
iasg	*fish*
orm	*on me*
suas	*up*
teine	*fire*

Can Seo   Chuir mi a-mach an cat

Remember: Starting from the 'order' form of the verb, (eg. CUIR) the past tense is made by aspiration of the first letter (CHUIR). If the verb begins with a vowel, the past tense is made by putting DH' before it. Eg. OL – DH'OL. Verbs beginning with 'f' are similar, eg. FAG – DH'FHAG.

An do chuir thu a-mach an cat?

Remember: The question form of the past tense has AN DO before it. The negative form has CHA DO. 'Where' with the past tense is CAITE AN DO?

Cuir	chuir
gabh	ghabh
suidh	shuidh
fàg	dh'fhàg
falbh	dh'fhalbh
òl	dh'òl

Obair

1 Read each of these sentences out aloud then answer 'yes'
   and 'no' to each one.

   a An do ghabh thu do bhrot?
   b An do dh'òl thu m'uisge-beatha?
   c An do chuir thu air an telebhisean?
   d An do dh'fhàg thu cóig notaichean anns a' bhùth?
   e An do shuidh thu air mo bhonaid?
   f An do dh'fhalbh iad aig sia uairean?

2 Put the past tense of these verbs into the appropriate slot
   (notice the question marks!).

   a Fàg   **b** Fàg   **c** òl   **d** gabh   **e** suidh   **f** cuir   **g** cuir

   a . . . . mi mo sporan an seo?
   b . . . . mi an càr agam aig a' bhùth.
   c . . . . e trì cupannan cofaidh dubh.
   d . . . . sibh biadh?
   e . . . . Dòmhnall aig a' bhòrd.
   f . . . . e dheth an solas?
   g . . . . mi dhiom mo sheacaid.

3 Read this story out aloud (once or twice) and answer the
   questions that follow, from memory if you can.

   Thàinig Iain a-staigh. Chuir e air an solas. Rinn e cupa tì.
   Chuir e an cupa air a' bhòrd. Chuir e air an telebhisean. Shuidh e
   aig a' bhòrd agus chuir e siùcar – trì spàinean – anns an tì. Nuair
   a ghabh e an tì chuir Iain air còta, chuir e dheth an telebhisean
   agus an solas agus chaidh e a-mach.

   a Cò thàinig a-staigh?
   b An do chuir e air an solas?
   c An do rinn e cofaidh?
   d Dé chuir e air a' bhòrd?
   e Càite an do shuidh Iain?
   f An do chuir e bainne anns an tì?
   g Dé chuir e anns an tì?
   h Dé rinn Iain nuair a ghabh e an tì?

4 Tormod's rough notes from his diary – expand them into
   a proper story, in Gaelic (in his own words).

   Working today . . . . . . left home 7.50am . . . . . . busy . . . . .
   very tired . . . . home, 5.15pm . . . . jacket
   off . . . . sat down . . . . . television on . . . . . . not good . . . .
   off . . . . . had food – cold meat . . . . . made coffee . . . . . .
   didn't have milk . . . . . . had black coffee . . . . . . went out
   7.30pm . . . . was in the bar until (*gu*) 10am – drinking beer.

9 Naoi
Fuirich Mionaid

Na Bonaidean: Pàirt 9

Alasdair leaves Eilidh's house and moves into the hotel.
Dòmhnall decides to change over completely to tartan. Anna
makes it perfectly clear that she doesn't approve. Catriona
moves into Alasdair's old room – Iain is pleased, Eilidh isn't.

Scene I: Alasdair is about to leave Iain and Eilidh's house.

IAIN   A bheil thu a' falbh, Alasdair?

ALASDAIR   Tha, Iain, tha eagal orm.

IAIN   Carson?

ALASDAIR   Tha fhios agad carson.

IAIN   Ach . . . . . . fuirich còmhla ruinn. Tha e ceart gu leòr.

ALASDAIR   Chan eil e ceart gu leòr, Iain. Bha sinn a' trod. Bha Eilidh agus mi fhìn a' trod. Mar sin, chan urrainn dhomh fuireach an seo a-nise.

IAIN   *He tries to get up off the bed but cannot.* Thoir dhomh do làmh. Tapadh leat.

ALASDAIR   Ciamar a tha do chas?

IAIN   Mo chas? Chan eil i uabhasach math idir, tha eagal orm.

ALASDAIR   Well . . . . cheerio, Iain . . . . agus tapadh leat. *Indicating the spare bedroom.*

IAIN   Och . . . . . tha sin ceart gu leòr.

ALASDAIR   Dé an uair a tha e?

IAIN   Lethuair an deidh a naoi. Cuin a tha an taxaidh a' tighinn?

ALASDAIR   Cha bhi e fada. O, seo e a-nise. Cheerio, Iain.

IAIN   Cheerio, Alasdair.
Cheerio Alasdair. *As if to himself.*

A' Bhliadhna Ur	*The New Year*
aca	*iad form of 'aig'*
aige	*'his', 'he has'*
buidhe	*yellow*
'cha chuir mi . . . .'	*'I will not put . . . .'*
còmhla ruinn	*with us*
dùin do bheul	*shut your mouth*

làmh	hand
mar sin	so
no	or
partaidh	party
taxaidh	taxi
trod	quarrelling, 'getting on at'
uaine	green

Can Seo

Do

Remember: DO (to) 'aspirates' if there is no article. With the article it takes the form DO'N (followed by aspiration).

Thoir dhomh

Remember: DHOMH means 'to me' or 'for me'. THOIR DHOMH means 'give me'. If you think that's too abrupt say 'An toir thu dhomh?' – 'Will you give me'.

Chan urrainn dhomh

Remember: CHAN URRAINN DHOMH means 'I can't'. AN URRAINN? and CHAN URRAINN are the question and negative forms, respectively.

Tha an t-acras orm

Remember: ACRAS means 'hunger'. ORM means 'on me'. THA AN T-ACRAS ORM means 'I am hungry'.

Tha eagal orm

Remember: EAGAL means 'fear'. THA EAGAL ORM means 'I'm afraid'.

Fuirich rium

Remember: FUIRICH RIUM means 'wait for me'. RIUM is a form of RI/RIS. It usually means 'to' as in 'speaking to' but can also mean 'for', 'with', etc.

Còmhla rium

Remember: COMHLA RIUM means 'with me'.

Do	Dhomh	Air	Orm	Ri/Ris	Rium
	Dhut		Ort		Riut

Obair

1

2 You are offered a piece of blackcurrant pie, but:

a You're sorry, you're not hungry.

b Though you'd like to, you can't eat it (you're allergic to blackcurrant).

c You're afraid you don't like it.

3 The following are responses to the sentences below. Put each sentence with the appropriate response, reading them aloud as you do so.

a . . . . Cha toigh l', tha eagal orm.

b . . . . Chan eil: ghabh mi gu leòr.

c . . . . Chan eil siùcar agam, tha eagal orm.

d . . . . Chan urrainn dhomh: tha mi a' falbh dhachaigh.

A bheil thu ag iarraidh tuilleadh buntàta?
An toigh leat a' bhriogais ùr agam?
An toir thu dhomh siùcar?
Fuirich còmhla rium mionaid.

10 Deich
Bliadhna Mhath Ur

Na Bonaidean: Pàirt 10

The New Year party at Eilidh and Iain's. Anna and Alasdair arrive late, Alasdair with a cake he has made himself. Dòmhnall brings out his Hogmanay presents – tartan bonnets for everyone. For Anna this is the last straw.

Scene III: At the party, Alasdair has just arrived, with his cake – Catriona cuts it.

CATRIONA *Tasting it.* Mmm . . . . . tha i uabhasach math.
ALASDAIR Siuthad, thoir pìos do na h-uile duine, a Chatriona.

Time passes.

CATRIONA Bha cèic Alasdair math, nach robh?
DOMHNALL Bha gu dearbh. Ach bha siud gu leòr. Gabh dhuinn òran. a-nise, a Chatriona. Siuthad . . . . . gabh òran.
CATRIONA Gabh fhéin òran.
IAIN Dé an uair a tha e?
ALASDAIR Tha e cóig mionaidean gu dà uair dheug.
IAIN Siuthad, a Dhòmhnaill. Seall an uair a tha e.
DOMHNALL Tha an deoch orm.
CATRIONA 'S toigh leam fhìn Oidhche na Bliadhna Uir.
IAIN 'S toigh leam fhìn Anna. *Pointing to the wall clock which is just about to strike midnight.* An uair . . . . an uair . . . . Seall an uair a tha e.
CATRIONA Dà uair dheug. *The clock strikes midnight. Exchanges of 'Bliadhna Mhath Ur' on all sides.*
DOMHNALL Tha mi duilich, Iain. *He kisses Eilidh.*
IAIN 'S toigh leam fhìn Anna.

In the midst of all this Dòmhnall has gone off and returned with a bright red box. He removes the lid. It is full of tartan bonnets which he starts putting on people's heads. Anna is very annoyed.

IAIN Tha i brèagha. 'S toigh leam a' bhonaid ùr agam. *Looking at Catriona in her bonnet.* Tha sin math. Dé do bheachd, Eilidh? *Tries one on.* Ciamar a tha sin? *Iain approaches Anna and tries to put a bonnet on her head.*

ANNA	Thalla. Sguir!
IAIN	*Blankly.* 'S toigh leam fhìn iad.
ANNA	Trobhad, Alasdair.
ALASDAIR	Càite?
ANNA	Tha mise a' falbh. Tha mi sgìth de na bonaidean sin. Càil ach bonaidean, agus tartan.

Anna goes, slamming the door behind her.

EILIDH	Tha a' bhonaid agad fhéin brèagha, Alasdair. Agus, Alasdair . . . . . bha a' chèic agad uabhasach math.
DOMHNALL	Siuthad, a Chatriona. Siuthad, gabh òran. Oran math Gàidhlig.
CATRIONA	'S toigh leam fhìn Oidhche na Bliadhna Uir.

airson	*for*
airgead	*money*
(chan eil) càil ach	*nothing but*
cèic	*cake*
còcaire	*cook, chef*
dhuibh	*for you (plural)*
dhuinn	*for us*
Gàidhlig	*Gaelic*
Oidhche na Bliadhna Uir	*New Year's Eve*
òran	*song*
pìos	*piece*
riumsa	*emphatic form of 'rium'*
sgìth de	*tired of*

Obair

1 How do you think Seumas would answer these questions, going by his expression?

a   b   c   d   e   f   g   h   i

a An do ghabh thu do bhiadh?
b A bheil deich notaichean agad?
c An toigh leat an còta ùr agam?
d An robh an céilidh math an-raoir?
e A bheil gu leòr uisge-beatha agad?
f An do dh'fhàg thu do sporan anns a' bhùth?
g An urrainn dhut seinn?
h A bheil thu ag obair ro thrang?
i Am bi thu anns a' bhàr a-nochd?

2 Dòmhnall visits Seumas, who is the inquisitive type! Read through their conversation carefully – and listen to it on the disc/cassette if possible – making sure you understand everything. If there is anything you don't understand, look up the words in the glossary and check the grammar of that lesson or the general grammar notes on page 96. It would be helpful if you could get a friend to ask you questions about it. It is essential you do this exercise thoroughly if you are to gain as much as possible from the second half of the course.

SEUMAS	Hallo, a Dhòmhnaill. Ciamar a tha thu?
DOMHNALL	Tha gu math, tapadh leat. Ciamar a tha thu fhéin?
SEUMAS	Chan eil mi dona idir. Thig a-staigh.
DOMHNALL	Glé mhath.
SEUMAS	Thoir dhomh do chòta.
DOMHNALL	Tha mi fuar.
SEUMAS	Ach tha e blàth a-staigh an seo.
DOMHNALL	Ceart gu leòr. *Taking off his coat.* Seo.
SEUMAS	Dé tha a' dol?
DOMHNALL	Chan eil càil as ùr.
SEUMAS	An robh thu trang an-diugh.
DOMHNALL	Bha. Bha mi uabhasach trang an-diugh. Bha mi ag obair anns a' bhàta gu cóig uairean agus, feasgar, nuair a ghabh mi mo bhiadh, bha mi ag obair air a' chàr còmhla ri Iain.
SEUMAS	Càite an do ghabh thu do bhiadh a-nochd?
DOMHNALL	Anns a' chafé.
SEUMAS	An robh e math?
DOMHNALL	Cha robh e dona.
SEUMAS	Dé ghabh thu?
DOMHNALL	Ghabh mi brot agus feòil agus buntàta. Bha am brot fuar agus cha robh salainn gu leòr air a' bhuntàta. Ach cha robh e dona.
SEUMAS	Am bi thu a' gabhail do bhiadh anns a' chafé tric?
DOMHNALL	Bithidh – a h-uile latha. Ach . . . . . a bheil fhios agad có chunnaic mi anns a' chafé an-dé?
SEUMAS	Chan eil. Có?
DOMHNALL	Tormod.
SEUMAS	O? Ciamar a tha e?
DOMHNALL	Tha e glé mhath. Tha càr mór brèagha aige.
SEUMAS	Càite bheil e a' fuireach a-nise?
DOMHNALL	Tha e a' fuireach ann an Glaschu. Tha e ag obair an sin.
SEUMAS	Dé tha e a' dèanamh?
DOMHNALL	Chan eil fhios agam.
SEUMAS	Bha mi aig an taigh agad an-raoir ach cha robh thu a-staigh.
DOMHNALL	Cha robh.
SEUMAS	Càite robh thu?
DOMHNALL	Bha mi anns a' bhàr.

SEUMAS	An robh thu ag òl?
DOMHNALL	Well . . . . ghabh mi dà phinnt leann, ach cha robh mi ag òl uisge-beatha idir.
SEUMAS	Dé bha a' dol anns a' bhàr an-raoir?
DOMHNALL	Bha céilidh ann.
SEUMAS	O? Có bha a' seinn aig a' chéilidh?
DOMHNALL	Bha Màiri agus Iain.
SEUMAS	Màiri? Nighean bhrèagha?
DOMHNALL	Tha i glé bhrèagha.
SEUMAS	Le briogais dhubh?
DOMHNALL	Briogais dhubh agus còta dubh.
SEUMAS	A bheil i ag obair anns a' bhùth?
DOMHNALL	Chan eil: *bha* i ag obair anns a' bhùth ach tha i ag obair anns a' chafé a-nise.
SEUMAS	Tha fhios agam. Chunnaic mi i an sin Di-Sathurna. A bheil i math air seinn?
DOMHNALL	Chan eil i dona. Bha i a' seinn còmhla ri Iain. Bha iad glé mhath.
SEUMAS	Am bi céilidh anns a' bhàr a h-uile oidhche?
DOMHNALL	Bithidh. Ach cha bhi mise a' dol ann tric. Tha mi ro thrang.
SEUMAS	Cuin a thàinig thu dhachaigh an-raoir?
DOMHNALL	Thainig aig lethuair an deidh aon uair deug.
SEUMAS	An robh Iain aig a' chéilidh?
DOMHNALL	Bha. Bha an deoch air. Chuir iad a-mach e. Bha e a' seinn ro àrd.
SEUMAS	An robh Catriona an sin?
DOMHNALL	Cha robh. Ach chunnaic mi i nuair a bha mi a' tighinn an seo a-nochd.
SEUMAS	'S toigh leam Catriona. Tha i brèagha.
DOMHNALL	Tha . . . . . . ach, tha i a' falbh le Iain – an robh fhios agad?
SEUMAS	Cha robh. Och well . . . . . . a bheil thu ag iarraidh cupa tì?
DOMHNALL	A bheil cofaidh agad?
SEUMAS	Tha. Tha cofaidh gu leòr agam. A bheil thu ag iarraidh cofaidh?
DOMHNALL	Tha, tapadh leat.
SEUMAS	A bheil thu a' gabhail siùcar anns a' chofaidh?
DOMHNALL	Tha. Trì spàinean.
SEUMAS	Bainne?
DOMHNALL	Chan eil: thoir dhomh cofaidh dubh.
SEUMAS	Cha robh thusa ag òl uisge-beatha an-raoir!
DOMHNALL	Cha robh gu dearbh. Ach 's toigh leam cofaidh dubh.
SEUMAS	A bheil thu ag iarraidh sandwich le feòil? Tha feòil fhuar agam.
DOMHNALL	Chan eil, tapadh leat. Chan eil an t-acras orm idir.
SEUMAS	A bheil thu ag iarraidh briosgaid?
DOMHNALL	Tha. 'S toigh leam na briosgaidean sin.

SEUMAS	Seo do chofaidh.
DOMHNALL	Tapadh leat. O, tha e teth. *He puts his cup down.*
SEUMAS	Na cuir air a' bhòrd sin idir e. Cuir an seo e.
DOMHNALL	Ceart gu leòr. An toir thu dhomh spàin?
SEUMAS	Tha mi duilich. Seo. Càite robh thu Di-Sathurna?
DOMHNALL	Bha mi a-muigh còmhla ri Màiri Di-Sathurna.
SEUMAS	O? Còmhla ri Màiri! Càite robh sibh?
DOMHNALL	Bha sinn a-muigh aig biadh anns a' hotel.
SEUMAS	An robh sin math.
DOMHNALL	Bha e uabhasach math. Agus chuir mi dhachaigh i.
SEUMAS	Anns a' chàr agad?
DOMHNALL	Anns a' chàr agam. Agus ghabh sinn cupa cofaidh anns an taigh aig Màiri.
SEUMAS	An robh sin math?
DOMHNALL	Well . . . . . . bha an cofaidh math.
SEUMAS	Ah . . . . tha fhios agam. Chuir sibh dheth an solas, an do chuir?
DOMHNALL	Cha do chuir.
SEUMAS	Agus chuir sibh air reacord . . . .
DOMHNALL	Cha do chuir.
SEUMAS	Chuir thu dhiot do sheacaid . . . . . .
DOMHNALL	Cha do chuir.
SEUMAS	. . . . uisge-beatha. Agus – 'Trobhad an seo, a Mhàiri . . . . . .' Tha fhios agam!
DOMHNALL	Chan eil fhios agad. Ghabh sinn aon chupa cofaidh agus dh'fhalbh mise dhachaigh. Anns a' chàr agam. Leam fhìn!
SEUMAS	Ah, well . . . . Tha briogais ùr agad.
DOMHNALL	Tha. Chunnaic mi anns a' bhùth i an-diugh. An toigh leat i?
SEUMAS	'S toigh l'. Tha i brèagha. Dé na bha i?
DOMHNALL	Bha i fichead not agus trì fichead sgillin.
SEUMAS	Cha robh sin dona.
DOMHNALL	Cha robh gu dearbh.
SEUMAS	A bheil thu ag iarraidh tuilleadh cofaidh?
DOMHNALL	Chan eil, tapadh leat. Bha siud gu leòr. Ach, seall an uair – tha e deich mionaidean gu aon uair deug. Tha mise a' falbh.
SEUMAS	Fuirich mionaid.
DOMHNALL	Chan urrainn dhomh.
SEUMAS	Carson?
DOMHNALL	Tha mi uabhasach sgìth.
SEUMAS	Ciamar a tha thu a' dol dhachaigh? A bheil an càr agad?
DOMHNALL	Chan eil. Dh'fhàg mi aig an taigh e. Tha mi a' dol dhachaigh air a' bhus. Ach, chan eil sgillin agam, tha eagal orm. Dh'fhàg mi mo sporan aig an taigh. An toir thu dhomh lethcheud sgillin?
SEUMAS	Ceart gu leòr. Seo.

DOMHNALL	Tapadh leat.
SEUMAS	Agus seo do chòta. Am bi thu a-staigh a-màireach.
DOMHNALL	Bithidh.
SEUMAS	Glé mhath. Chì mi a-màireach thu.
DOMHNALL	Ceart gu leòr. Ach bidh mi a' dol a-mach aig ochd uairean.
SEUMAS	Well, oidhche mhath leat.
DOMHNALL	Oidhche mhath leat fhéin.

11 Aon deug
Am faod mi smocadh?

Na Bonaidean: Pàirt 11

Anna has finally left the Craft Shop, in protest at the switch to tartan. Catriona, who has always been fond of Dòmhnall, agrees to take her place. Eilidh isn't too pleased about this – or about the fact that Catriona is still living at her house.

Scene I: The snack bar, in the morning. Dòmhnall is having tea and a roll and chatting to Catriona.

DOMHNALL   Cha bhi. Dh'fhàg i a' bhùth. Cha toigh leatha na bonaidean agus an tartan.

CATRIONA   Tha fhios agam . . . . càil ach clò.

DOMHNALL   A Chatriona, bha mi a' smaoineachadh . . . . .

CATRIONA   *Hopefully*. Dé?

DOMHNALL   Am bu toigh leat . . . . . am bu toigh leat obair ùr. Anns a' bhùth agam?

CATRIONA   *She had hoped for more.* Well, 's dòcha . . . . . . ach tha obair agam an seo.

DOMHNALL   Faodaidh tu falbh.

CATRIONA   Faodaidh gu dearbh. Cha toigh leam an obair seo co-dhiù. Uairean fada . . . . . . cus coiseachd . . . . agus chan eil airgead math ann.

DOMHNALL   Tha mi a' smaoineachadh gum bi thu glé thoilichte anns a' bhùth.

CATRIONA   Mi fhìn agus Eilidh.

DOMHNALL   Thu fhéin agus Eilidh . . . . . agus mi fhìn. Well, a Chatriona, tha mi toilichte. Dé an uair a tha e?

CATRIONA   Lethuair an deidh a deich.

DOMHNALL   Feumaidh mise falbh.

CATRIONA   A bheil thu ag iarraidh tuilleadh cofaidh?

DOMHNALL   Chan urrainn dhomh. Bha siud gu leòr. Agus co-dhiù, feumaidh mi dol air ais do'n bhùth. Chan eil duine anns a' bhùth ach Eilidh.

CATRIONA   A bheil thu deiseil?

DOMHNALL   Tha, tha mi deiseil. Tapadh leat, a Chatriona.

CATRIONA   Tapadh leat fhéin, a Dhòmhnaill.

cha toigh leatha	*she doesn't like*
co-dhiù	*anyway*
còmhla rithe	*with her*
esan	*emphatic form of 'e'*
dèan	*make*
Glaschu	*Glasgow*
ise	*emphatic form of 'i'*
Lunnain	*London*
madainn	*morning*
-sa	*emphatic pronoun ending*

Can Seo   Tha e a' ràdh gu bheil e sgìth

Remember: GU is the form used with BHEIL. Other forms are GUM (with BI and the future of regular verbs beginning with b, p, f, m); GUN (with ROBH and the future of the other regular verbs); GUN DO (with the past of the regular verb). They are used with verbs such as A' RADH ('saying') or A' SMAOINEACHADH ('thinking') to introduce 'that' clauses – eg. Tha e a' ràdh gu bheil e sgìth: (He says (that) he is tired.' It is also used after 'S DOCHA ('perhaps') if it is followed by a verb. Eg. 'S DOCHA GU BHEIL (Perhaps it is . . . . . .).

Feumaidh mi falbh

Remember: FEUMAIDH means 'must'. The verb used with it is in the 'verbal noun' form (without A', AG etc.) if there is no noun object with the verb. FAODAIDH (may) is used similarly.

Am faod mi suidhe

Remember: FEUM and FAOD are the forms of these two verbs that are used after AM? (question), GUM (that), CAITE AM? (where). The negative forms are CHAN FHEUM, CHAN FHAOD.

Am faod?	mi	falbh
Chan fhaod	thu	seinn
Faodaidh		tighinn
Am feum?		fuireach
Chan fheum		suidhe
Feumaidh		coiseachd

Am bu toigh leat

Remember: AM BU TOIGH LEAT means 'Would you like . . . . .'

Obair

1 Put in your own words, as though you were telling someone else, what Alasdair has told you.

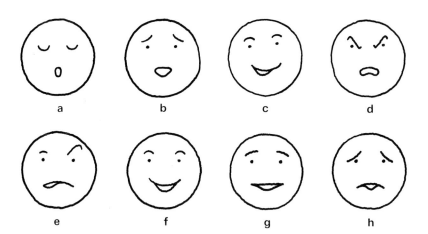

a   Tha mi sgìth.
Tha e a' ràdh gu bheil e sgith.
b   Dh'fhàg mi cóig notaichean an seo.
Tha e a' ràdh gun do dh'fhàg e cóig notaichean an seo.
c   Tha am biadh air a' bhòrd.
. . . .
d   Bha a' bhriogais dhubh sin fichead not.
. . . .
e   Bha mi trang an-dé.
. . . .
f   Bithidh mi an seo a h-uile oidhche aig deich mionaidean gu cóig.
. . . .
g   Chuir mi air an telebhisean.
. . . .
h   Tha an t-acras orm.
. . . .

2 Now: do the same thing again, this time replacing *'Tha e a' ràdh'* with *'Tha mi a' smaoineachadh'*.

Eg.   'Tha mi a' smaoineachadh gu bheil e sgìth'.
'Tha mi a' smaoineachadh gun do dh'fhàg e . . . . .'

3 Fill in the gaps with the correct form of the verb 'to be'.

MAIRI   Hallo, Anna. Thig a-staigh.
ANNA   Tapadh leat. Ciamar a tha thu?
MAIRI   Tha gu math. Cuin a chunnaic thu Tormod?
ANNA   Chunnaic an-dé.
MAIRI   A bheil e trang?
ANNA   Tha e a' ràdh gu . . . .
MAIRI   A bheil e ag obair air a' bhàta aig Alasdair?
ANNA   Chan eil mi a' smaoineachadh gu . . . .
MAIRI   An *robh* e ag obair air a' bhàta?
ANNA   Tha mi a' smaoineachadh gun . . . . , ach tha e ag
         obair anns a' bhàr a-nise.
MAIRI   Am bi e aig a' chéilidh a-màireach?
ANNA   Tha e a' ràdh gum . . . .
MAIRI   Am bi thu fhéin a' seinn aig a' chéilidh?
         'S dòcha gum . . . . : chan eil fhios agam.
MAIRI   Càite bheil thu a' dol?
ANNA   Tha mi a' dol dhachaigh.
MAIRI   Fuirich mionaid.
ANNA   Chan urrainn dhomh, tha eagal orm. Feumaidh mi falbh.

4 You're being pestered by a hard-to-please child – You're not
in the mood to be co-operative.

   a   Am faod mi suidhe an seo?
       Am faod mi suidhe an sin?
       Am faod mi falbh dhachaigh?
       Am faod mi fuireach?
       Am faod mi dol dhachaigh air a' bhus?
       Am faod mi coiseachd dhachaigh?

   b   Suddenly, your mood changes completely – you'd do
       anything to please.

12 A dhà dheug
Ceart ma tha

Dòmhnall gets a surprise telephone order from Toronto for 800
tartan bonnets and 800 tartan bags. He arranges a party in the
bar. Eilidh is annoyed that Catriona, rather than her, may be
going to Toronto with Dòmhnall, but she's even more annoyed
that Iain is so pleased at this.

Scene II: Catriona is telling Eilidh, who has been off work with
a cold, about the Canadian order.

CATRIONA Eilidh. Bha duine air am fón an-diugh á Toronto. A Canada. Tha
bùth mhór aige agus tha e ag iarraidh *ochd* ceud bonaid. Agus
ochd ceud baga tartain.

EILIDH Ochd ceud. *She brightens up considerably.* Tha sin math, nach
eil?

CATRIONA . . . . agus tha Dòmhnall a' ràdh gum bi e fhéin agus mi
fhìn – no thu fhéin – a' dol gu Toronto nuair a bhitheas na
bonaidean deiseil.

EILIDH *Bridling.* Mi fhìn *no thu fhéin.*

CATRIONA Seadh. O seall an uair. Tha mise a' dol do'n bhùth. Feumaidh mi
tights ùra airson a' phartaidh.

EILIDH Dé am partaidh?

CATRIONA O, tha mi duilich. Chan eil fhios agadsa. Tha partaidh beag aig
Dòmhnall anns a' bhàr aig ochd uairean . . . . bidh thu fhéin
agus Iain ann, nach bi?

EILIDH Chì sinn.

CATRIONA Och, bithidh, Eilidh. Tha thu gu math a-nise. Bithidh Alasdair
agus Anna ann. O, seo agad Iain a' tighinn.

IAIN Hallo, a Chatriona. A bheil thu a' dol a-mach?

CATRIONA Tha mi a' dol do'n bhùth. Tha partaidh ann a-nochd. *She goes.*

IAIN Dé am partaidh?

EILIDH An do dhùin thu an doras. Tha mi fuar.

IAIN Tha mi duilich. Dùinidh mi e a-nise. Carson a tha Catriona a' dol
do'n bhùth?

EILIDH Tha partaidh aig Dòmhnall a-nochd aig ochd uairean. Bha duine
air am fón á Toronto ag iarraidh ochd ceud bonaid agus ochd
ceud baga tartain. Tha sin math, nach eil?

IAIN Tha sin math gu dearbh. Partaidh, eh? Am bu toigh leat dol ann?

EILIDH	Bu toigh l'. Tha mi gu math a-nise.
IAIN	Ach fàgaidh mi an càr a-staigh, tha mi a' smaoineachadh.
EILIDH	Carson?
IAIN	Well, ma bhios mi ag òl . . . . .
EILIDH	*Frostily.* Ma bhios tu ag òl.

á	*from*
chan eil e ach	*it is only*
Dé am partaidh?	*What party?*
MacLeòid	*MacLeod*
Mise th'ann	*It's me*

Can Seo Gabhaidh mi briosgaid

Remember: Starting with the 'order' form (or imperative) of the verb, the simple future is made by adding -AIDH (if the last vowel in the syllable before is A, O, or U) or -IDH. Verbs such as FOSGAIL also contract, eg. FOSGLAIDH.

An gabh thu cofaidh?

Remember: After AN/AM?, NACH?, GUN/GUM, CAITE AN?, the future is the same as the 'order' form (or imperative). After CHA, it is aspirated, eg. CHA GHABH. With verbs beginning with a vowel and F the negative takes the form CHAN, eg. CHAN FHAG.

Dé ghabhas tu?

Remember: After DE?, CO?, CIAMAR A?, CUIN A?, NUAIR A?, MA (if), A (who, which, that) there is a third form of the future. This is arrived at by aspirating the first letter of the imperative and adding -AS (after a, o, u) or -EAS. In the case of a verb beginning with a vowel, or 'F', DH' is placed before the verb. Eg. CO DH'INNSEAS. The form TU (rather than THU) is used after this and the simple form of the future.

Cuin a bhitheas tu deiseil?

Remember: There is also a third form (besides BITHIDH/BIDH and BI) of the future of the verb 'to be'. This takes the form BHITHEAS or BHIOS and is used after DE?, CO?, CIAMAR A?, CARSON A?, CUIN A?, NUAIR A, MA, A.

	Gabhaidh Bithidh/Bidh
An/am Cha(+asp.)/chan Càite am/an? Nach? Gun/gum	Gabh òl bi
Carson a Ciamar a Có (a) Cuin a Dé (a) Ma	ghabhas dh'òlas bhitheas/bhios

Obair

1 There follow some requests disguised as questions.
How would you answer:

a You're tired and in no mood to be helpful.
b You'd do anything to please.

An cuir thu air an solas?
An cuir thu dheth an telebhisean?
An cuir thu sios na reacords sin?
Am fosgail thu an uinneag dhomh?
An dùin thu an doras?
An innis thu seo do Dhòmhnall?
An suidh thu sios an seo còmhla rium?

2 Imagine you're telling the story the morning *before*
instead of the morning *after* 'the night before': in other words,
change all the *past* tenses to *future*.

Chaidh Iain do'n bhùth aig sia uairean agus chunnaic e
Tormod. Bha Tormod trang anns a' bhùth. Nuair a bha Tormod
deiseil, thàinig e fhéin agus Iain dhachaigh anns a' chàr aig
Tormod. Rinn e fhéin agus Iain biadh – brot, feòil agus buntàta –
agus ghabh iad e. Nuair a dh'òl iad cupa cofaidh, chaidh iad
a-mach. Chaidh iad do'n bhàr agus bha oidhche mhór ann.

3 Seumas has an unexpected visit. Read the conversation out loud, using the correct *future* form of the verbs in brackets.

SEUMAS   Thig a-staigh.

ANNA   Tapadh leat. Mise Anna . . . .

SEUMAS   . . . . . agus mise Seumas.

ANNA   An (dùin) mi an doras?

SEUMAS   Cha (dùin): tha e ro bhlàth a-staigh an seo.

ANNA   A bheil e ceart gu leòr ma (cuir) mi dhiom mo chòta?

SEUMAS   Tha gu dearbh. Thoir dhomh e agus (cuir) mi a-staigh an seo dhut e.

ANNA   Seo. Tapadh leat.

SEUMAS   An (gabh) thu uisge-beatha?

ANNA   Cha (gabh), tapadh leat. Cha bhi mi ag òl idir.

SEUMAS   Dé (gabh) tu, ma tha? Cofaidh no tì?

ANNA   (Gabh) mi cofaidh. Cofaidh geal, tapadh leat.

SEUMUS   A bheil thu ag iarraidh briosgaidean?

ANNA   Chan eil, tapadh leat: chan eil an t-acras orm idir. Ach saoil am faigh mi siùcar?

SEUMAS   O, tha mi duilich. Seo agad e. A-nise: carson a tha thu an seo?

ANNA   Ceart gu leòr: (innis) mi dhut. A bheil thu ag iarraidh encyclopaedia mhath Ghàidhlig . . .

Fad na h-oidhche

Na Bonaidean: Pàirt 13

Later the same evening as in Pàirt 12. As Eilidh is so annoyed,
no-one has gone to Dòmhnall's party. He eventually arrives at
Iain's, very displeased. When he gets another call, supposedly
from Canada, it suddenly dawns on him that he's been the
victim of one of Alasdair's practical jokes. He's even more
displeased now.

Scene I: Iain and Eilidh's house. Anna enters.

ANNA   Hallo, Iain. Ciamar a tha thu? *No reply.* Ciamar a tha do chas?
No reply. A bheil Catriona a-staigh? *He points.* Agus càite bheil
Eilidh? *He points again.* A bheil sibh a' dol chun a' phartaidh aig
Dòmhnall? *Iain merely shrugs.* Ach, thusa! Tha mise a' dol
a-staigh còmhla ri Catriona.

Scene II: Catriona's room, she is obviously upset.

ANNA	A Chatriona! Carson nach eil Iain a' ràdh dad?
CATRIONA	Bha e fhéin agus Eilidh a' trod.
ANNA	Carson?
CATRIONA	Tha Eilidh a' smaoineachadh gu bheil mi fhìn agus Iain . . . .
ANNA	Och isd! Sin agad Eilidh. Bha i a' smaoineachadh sin nuair a bha mise a' fuireach an seo.
CATRIONA	Bha Iain a' ràdh 'Thalla thusa gu Toronto còmhla ri Dòmhnall, agus bithidh mi fhìn 's Catriona ceart gu leòr an seo.' Agus sin agad e!
ANNA	*She's heard it all before.* Bha sin gu leòr gu dearbh.
CATRIONA	Chan urrainn dhomh fuireach an seo tuilleadh.
ANNA	Tut isd. Tha e ceart gu leòr. Chan eil Eilidh gu math 's tha mi sgìth. Fuirich thusa an seo agus nì mise cupa tì. A bheil thu fuar?
CATRIONA	Chan eil. Tha mi ceart gu leòr.
ANNA	Fuirich, ma tha.
CATRIONA	An toir thu dhomh mo bhaga?
ANNA	Càite bheil e?
CATRIONA	Tha e ri taobh a' bhùird, anns a' chidsin.
ANNA	Glé mhath. *She goes out.*

Scene III: The bar. Dòmhnall enters. Alasdair is busy cleaning the bar.

DOMHNALL   Hallo, ciamar a tha fear a' bhàir an-diugh?
ALASDAIR   Tha gu math – ciamar a tha fear na bùth? Tha e fuar a-muigh, nach eil?
DOMHNALL   Tha e glé fhuar. Dé tha thu a' dèanamh?
ALASDAIR   Tha mi a' glanadh na h-uinneig seo. Dé tha thu ag iarraidh?
DOMHNALL   Thoir dhomh gloinne uisge-bheatha.
ALASDAIR   Gloinne uisge-bheatha.
DOMHNALL   Tha e deich mionaidean an deidh a h-ochd. *He looks around and frowns.*
ALASDAIR   Tha e cairteal an deidh a h-ochd. Cuin a tha am partaidh ann? *Alasdair is smiling.*
DOMHNALL   Aig ochd uairean. *Sees Alasdair smiling.* Dé a th'ann, Alasdair?
ALASDAIR   Chan eil càil.

Carson nach?	*Why not?*
gloinne	*glass*
sibhse	*emphatic form of 'sibh'*
tig	*will come*

Can Seo   Kilo siùcair

Remember: The genitive is formed by 'softening' the last consonant (in writing by placing an 'i' before it). There may also be a change in the last vowel. The types of change involved may be heard on the programmes and on the discs/cassettes.

The genitive is found, usually,   *a* after nouns,   *b* after the 'verbal noun' (eg. a' dèanamh),   *c* after 'compound prepositions' (eg. ri taobh),   *d* after some simple prepositions (eg. chun).

Remember, however, that the genitive is not always used in speech, especially when the word for 'the' is not used.

Ri taobh a' bhùird

Remember: With masculine nouns, the article ('the') becomes A' in the genitive and the first consonant of the noun is aspirated. (Words beginning with T and D are exceptions as are, of course, those starting with a vowel, F and S.) Any following adjective is aspirated also.

Fad na h-oidhche

Remember: With feminine nouns the article takes the form of NA (NA H- before vowels).

Càr Dhòmhnaill

Remember: Masculine proper nouns are aspirated in the genitive.

Pacaid bhriosgaidean

Remember: The genitive plural is aspirated, if there is no article.

Nouns with definite article

Masculine		Feminine	
Noun	Genitive	Noun	Genitive
Am bainne	*A' bhainne*	a' bhonaid	*na bonaid*
Am bàr	*A' bhàir*	a' bhriogais	*na briogais*
Am bàta	*A' bhàta*	a' bhriosgaid	*na briosgaid*
Am bòrd	*A' bhùird*	a' bhùth	*na bùth(a)*
Am botal	*A' bhotail*	an drama	*na drama*
Am brot	*A' bhrot*	a' ghloinne	*na gloinne*
Am buntàta	*A' bhuntàta*	a' mhionaid	*na mionaid*
An càr	*A' chàir*	a' phacaid	*na pacaid*
An càise	*A' chàise*	an sgian	*na sgian (sgeine)*
An céilidh	*A' chéilidh*	an sgillin	*na sgillin*
An cofaidh	*A' chofaidh*	an spàin	*na spàin(e)*
An còta	*A' chòta*	an tì	*na tì*
An cupa	*A' chupa*		
An doras	*An dorais*	An oidhche	*na h-oidhche*
An duine	*An duine*	an uinneag	*na h-uinneig*
An latha	*An latha*		
An not	*An not*	an t-seacaid	*na seacaid*
An sporan	*An sporain*		
An telebhisean	*An telebhisein*	An fheòil	*na feòla*
		An fhorca	*na forca*
an t-airgead	*an airgeid*		
an t-ìm	*an ìm*	an nighean	*na h-ighne/*
an t-aran	*an arain*		*na nighne*
an t-uisge	*an uisge*		
An salainn	*an t-salainn*		
An solas	*an t-solais*		
An siùcar	*an t-siùcair*		
Am feasgar	*an fheasgair*		
An taigh	*an taighe*		

Obair

1 Read this story out aloud, using the correct 'genitive' form of the words in brackets.

Bha mi a' smaoineachadh, 'Bidh e math an-diugh. Cha bhi duine a-staigh ach mi fhìn. Bidh mi a' glanadh (an taigh) fad (an latha).'

Ach, aig trì uairean nuair a bha mi a' glanadh (an uinneag), thainig Màiri a-staigh. Bha i a' ràdh gu robh i trang ach bha i còmhla riumsa fad (am feasgar). Rinn mi cupa cofaidh. Nuair a bha sinn a' gabhail (an cofaidh) bha Màiri a' cur (a' bhriosgaid) anns a' chofaidh: cha toigh leamsa sin idir. Bha i a' ràdh gu bheil fear (a' bhùth) a' falbh le nighean (Dòmhnall). Tha i a' ràdh cus. Màiri. Tha fhios aice air a h-uile rud a tha a' dol.

Dh'fhalbh Màiri aig sia uairean. Nuair a bha mi a' dùnadh an (doras), chunnaic mi Dòmhnall a' tighinn. Bha e ag iarraidh (an càr) agam – tha e a' dol chun (an céilidh) a-nochd, agus chan eil an càr aige a' dol. Chan eil fhios agamsa carson a tha e ag iarraidh (càr): tha an taigh aige ri taobh (am bàr) agus bidh an céilidh anns a' bhàr.

Nuair a dh'fhalbh Dòmhnall, bha mi a' glanadh (an t-seacaid) dhubh agus (an còta) agam ach thainig Eilidh a-staigh. Bha i ag iarraidh cupa (siùcar). Bha i a-staigh fad (an oidhche).

Bidh mi a' glanadh (an taigh) a-màireach, tha eagal orm.

2 Read this dialogue, out aloud, once or twice, if possible with a friend reading the other part. Then try to answer the questions that follow, from memory.

SEUMAS	Hallo, tha latha math ann.
OIGHRIG	Tha gu dearbh ach tha e fuar.
SEUMAS	Tha. A-nise, dé tha sibh ag iarraidh?
OIGHRIG	A bheil càise agaibh?
SEUMAS	Tha.
OIGHRIG	An toir sibh dhomh pìos càise, ma tha.
SEUMAS	A bheil seo gu leòr?
OIGHRIG	Tha cus an sin, tha eagal orm.
SEUMAS	Tha pìos beag an seo.
OIGHRIG	Bidh sin glé mhath, tapadh leibh. Dé a-nise . . . . ah, tha ìm.
SEUMAS	Dé seòrsa?
OIGHRIG	Am fear sin. 'S toigh leam an t-ìm sin.
SEUMAS	Dé eile, ma tha?
OIGHRIG	Dusan ugh.
SEUMAS	Chan eil gin agam, tha eagal orm. Ach bidh iad agam a-màireach.
OIGHRIG	Ceart gu leòr. Briosgaidean a-nise.

SEUMAS	Dé seòrsa?
OIGHRIG	O, seòrsa sam bith.
SEUMAS	An fheadhainn seo?
OIGHRIG	Glé mhath. Dà phacaid . . . . agus botal bainne. Tha mi a' smaoineachadh gu bheil a h-uile rud agam a-nise. Dé na tha seo?
SEUMAS	Tha dà not.
OIGHRIG	Sin e.
SEUMAS	Tapadh leibh.

a A bheil an latha blàth?
b Có tha ag obair anns a' bhùth?
c Có tha ag iarraidh rudan anns a' bhùth?
d A bheil i ag iarraidh pìos mór càise?
e A bheil uighean anns a' bhùth?
f Cuin a bhios uighean anns a' bhùth?
g A bheil i ag iarraidh bhriosgaidean?
h Dé seòrsa?
i Dé na bha na rudan anns a' bhùth.

3 a Dé tha an seo?

3 b Dé tha iad a' dèanamh?
(With these four, use the word for 'the'.)

4 Ceithir deug
Can a-rithist e

Na Bonaidean: Pàirt 14

Alasdair's practical joke has rebounded on him and he ends up with a beauty of a black eye. A Canadian girl tourist, Sylvia, turns up in Dòmhnall's shop.

Scene III: Outside. A girl tourist with a large haversack is studying a map, as Anna comes up.

TOURIST   Excuse me. *Anna stops.* Tha mi a' smaoineachadh gu bheil mi ceàrr. Tha mi ag iarraidh – eh – dinnear.
ANNA   Sorry. Can I help you?
TOURIST   No, no. Chan eil mi ag iarraidh Beurla idir. Tha mi ag ionnsachadh Gàidhlig.
ANNA   O glé mhath. Can seo. 'Tha mi ag ionnsachadh Gàidhlig.'
TOURIST   Tha mi ag ionnsachadh Gàidhlig.
ANNA   Sin agad e. Glé mhath. Có ás a tha thu?
TOURIST   Can a-rithist e. Chan eil mi ga do thuigsinn.
ANNA   Có ás a tha thu?
TOURIST   Có ás – O! Tha mi á Canada. Tha mi a' coiseachd gu – eh – *Pointing to the map* . . . . . sin e. Ach – eh – tha an t-acras orm agus tha mi ag iarraidh dinnear.
ANNA   Ceart gu leòr. Seall. Tha iad a' dèanamh dinnearan anns a' bhàr. Siud e.
TOURIST   Agus tha mi ag iarraidh leabhar – eh – airson – eh – Gàidhlig.
ANNA   Seadh. *Pointing.* Seall – siud agad a' bhùth aig Dòmhnall – tha leabhraichean an sin. A bheil thu ga mo thuigsinn?
TOURIST   Tha. Tha mi ga do thuigsinn. Tapadh leat. Latha math.
ANNA   Cheer . . . . eh . . . . latha math.

a	*colloquial form of 'do' (to)*
Beurla	*English (the language)*
faicinn	*seeing*
gun dèan sinn	*that we will make*
innse	*telling*
sios am baile	*down town*
sùil	*eye*
uabhasach	*awful*

Can Seo A bheil thu a' tuigsinn seo?

Remember: A BHEIL THU A' TUIGSINN SEO? means 'Do you understand this?'

A bheil thu ga mo thuigsinn?

Remember: When a pronoun (eg. 'mi', 'thu') is the 'object' of the verbal noun, you use GA and the appropriate *possessive* pronoun (eg. 'mo', 'do'). This comes *before* the verbal noun.

In the case of MI, this takes the form of GA MO or (especially before vowels) GAM. It causes aspiration.

The forms corresponding to the other pronouns is given below. (Asp. stands for 'aspiration'.)

mi	ga mo/gam (+ asp.)	sinn	gar
thu	ga do/gad (+ asp.)	sibh	gur
e	ga (+ asp.)	iad	gan/gam
i	ga (ga h- before vowels)		

Có ás a tha thu?

Remember: CO AS A THA THU? means 'Where are you from?'

Obair

1 Answer each of these sentences, in each case replacing the noun in italics with a 'pronoun' ('it', 'they') as in **a** and **b**.

Note: You'll need to check back to Lesson 13 if you can't remember if the noun is masculine or feminine.

a An do ghlan thu *an taigh* an-diugh?
Tha mi ga ghlanadh. (*I am cleaning it.*)
b An do ghlan thu *na dorsan*?
Tha mi gan glanadh.
c An do ghlan thu *do chòta*?
d An do ghlan thu *an spàin agad*?
e An do ghlan thu *na h-uinneagan*?
f An do rinn thu *ti* dhomh?
g An do rinn thu *brot*?
h An do dh'òl thu do *chofaidh*?
i An do ghabh thu do *bhiadh*?
j An do ghabh thu do *dhinnear*?

Note: 'biadh' is masculine and 'dinnear' feminine.

2 Calum is hard of hearing and his friend Iain has rather a soft voice. Try helping them communicate as in **a**.

a IAIN Tha mi sgìth.
CALUM Dé tha e a' ràdh: chan eil mi ga chluinntinn?
THUSA Tha e a' ràdh gu bheil e sgìth.

b IAIN   Bha mi ag obair trang an-dé.

CALUM   Dé tha e a' ràdh: chan eil mi ga chluinntinn?

THUSA   Tha e a' ràdh . . . .

c IAIN   Bha mi anns a' bhàr an-raoir gu aon uair deug.

CALUM   Dé tha e a' ràdh: chan eil mi ga chluinntinn?

THUSA   Tha e a' ràdh . . . .

d IAIN   Dh'òl mi cus.

CALUM   Dé tha e a' ràdh: chan eil mi ga chluinntinn?

THUSA   Tha e a' ràdh . . . .

e IAIN   Bidh mi a-staigh fad na h-oidhche a-nochd.

CALUM   Dé tha e a' ràdh: chan eil mi ga chluinntinn?

THUSA   Tha e a' ràdh . . . .

f IAIN   Tha mi sgìth a' bruidhinn riut, a Chaluim.
Tha mi a' falbh.

CALUM   Dé tha e a' ràdh?

THUSA   Tha e a' ràdh . . . .

3 You're helping Iain with his Gaelic. Iain hasn't been working very hard at 'Can Seo' and some of his answers don't make much sense. Tell him when he is wrong and when he is right – either 'Tha sin ceart' or 'Tha sin ceàrr'.

a THUSA   Có ás a tha thu?

IAIN   Tha gu math, tapadh leat.

b THUSA   A bheil Gàidhlig agad?

IAIN   Tha mi toilichte.

c THUSA   A bheil thu ga mo thuigsinn?

IAIN   Chan eil: tha thu a' bruidhinn ro luath.

d THUSA   Dé a' Ghàidhlig a tha air 'cheese?'

IAIN   Tha ìm.

e THUSA   Dé a' Ghàidhlig a tha air 'house?'

IAIN   Tha taigh.

f THUSA   Dé tha thu a' sgrìobhadh?

IAIN   Tha mi a' sgrìobhadh litir.

g THUSA   Dé tha thu a' leughadh?

IAIN   Tha mi a' leughadh latha.

h THUSA   A bheil thu ga mo chluinntinn?

IAIN   Tha an t-acras orm.

i THUSA   A bheil móran Gàidhlig agad?

IAIN   Tha.

j THUSA   A bheil thu ag obair trang air 'Can Seo?'

IAIN   Chan eil, tha eagal orm, ach bidh mi ag obair trang air a-nise.

15 Cóig deug
Can a-rithist e-a-rithist

Later the same day. Anna comes back with Alasdair's messages. Sylvia and Catriona eat at the hotel. Alasdair and Dòmhnall are reconciled – more or less.

Scene I: The snack bar. Anna has come back with Alasdair's messages.

ANNA	Siud thu, ma tha, Alasdair. *Emptying the basket.* Ìm. Dusan ugh. Pinnt bainne. Botal vinegar. Dà kilo siùcair. Trì kilos feòla. Pacaid salainn.
ALASDAIR	Tapadh leat, Anna. Càite bheil am buntàta?
ANNA	O Alasdair, tha mi duilich. Dh'fhàg mi am buntàta anns a' bhùth. Théid mi sios am baile a-rithist.
ALASDAIR	Agus uinneanan cuideachd.
ANNA	Uinneanan?
ALASDAIR	Seadh. Tha mi a' dèanamh *onion sauce.* Fuirich mionaid. Dé na bha siud?
ANNA	Trì notaichean agus deich sgillin. Tha sin uabhasach, nach eil?
ALASDAIR	Siud thu, ma tha. Trì notaichean agus deich sgillin. Agus siud lethcheud sgillin eile.
ANNA	Tha mi a' falbh. Cha bhi mi mionaid. *She comes back.* O, can a-rithist e – seachd kilos buntàta agus . . . .
ALASDAIR	Uinneanan.
ANNA	Uinneanan . . . . uinneanan airson *onion sauce.* Ceart gu leòr – tha fhios agam air a-nise.
ALASDAIR	A bheil an càr agad?
ANNA	Chan eil. Feumaidh mi coiseachd ach tha sin ceart gu leòr. O, chunnaic mi tourist shios am baile. Tha mi a' smaoineachadh gu bheil i a' tighinn an seo airson dinnear.
ALASDAIR	Greas ort no cha bhi dinnear ann.
ANNA	Cha bhi mi mionaid.
ALASDAIR	*After she leaves.* Ach! Bha mi ag iarraidh aran cuideachd! Agus càise.

coma co-dhiù	*completely indifferent*
dhi	*to her*
oirre	*'on her'; 'i' form of 'air'*
shios am baile	*down (in the) town*
uinnean	*onion*

Obair

1 Read the following conversation carefully, getting friends to read the other parts with you if possible. Also listen to it on the disc/cassette. If there is anything you don't understand look up the glossary or the grammar notes.

Calum has just met Tormod for the first time.

CALUM	Hallo. Mise Calum.
TORMOD	Mise Tormod. Ciamar a tha thu?
CALUM	Tha gu math, tapadh leat. Ciamar a tha thu fhéin?
TORMOD	O, glé mhath. Có ás a tha thu?
CALUM	Tha mi á Glaschu, ach chan eil mi a' fuireach an sin a-nise idir.
TORMOD	Càite bheil thu a' fuireach a-nise, ma tha?
CALUM	Tha ann an Steòrnabhagh.
TORMOD	Dé tha thu a' dèanamh an sin?
CALUM	Tha mi ag obair air bàta beag.
TORMOD	O? Có tha ag obair còmhla riut air a' bhàta?
CALUM	Tha Alasdair MacLeòid.
TORMOD	Alasdair MacLeòid? Duine mór?
CALUM	Tha e glé mhór.
TORMOD	Tha fhios agam. Agus a bheil sibh a' dèanamh gu math air a' bhàta?
CALUM	Chan eil sinn a' dèanamh dona idir.
TORMOD	Càite bheil thu a' dol an dràsda?
CALUM	Tha mi a' dol do'n bhùth.
TORMOD	Tha mise a' dol do'n bhàr.
CALUM	Tha agus mise. Chì mi an sin thu.
TORMOD	Glé mhath.

In the shop.

ALASDAIR	Thig a-staigh. Tha e fuar an-diugh, nach eil?
CALUM	Tha gu dearbh. Tha thu trang.
ALASDAIR	Tha – tha mi a' glanadh na h-uinneig seo. Ach, tha mi deiseil a-nise, tha mi a' smaoineachadh. Dé do bheachd?
CALUM	Tha i glé mhath. Dé tha a' dol?
ALASDAIR	Chan eil móran. Cha robh duine a-staigh an seo an-diugh ach thu fhéin. Cha bhi thusa a-staigh an seo tric?

CALUM	Cha bhi. Tha mi a' fuireach ann an Steòrnabhagh.
ALASDAIR	Agus có ás a tha thu?
CALUM	Tha mi á Glaschu.
ALASDAIR	Agus tha Gàidhlig gu leòr agad?
CALUM	Well, tha beagan agam – tha mi ag ionnsachadh Gàidhlig.
ALASDAIR	Agus am bi thu a' fuireach fada ann an Steòrnabhagh?
CALUM	Dé?
ALASDAIR	A bheil thu ga mo thuigsinn?
CALUM	Chan eil, tha eagal orm. Tha thu a' bruidhinn ro luath. Can a-rithist e.
ALASDAIR	Am bi thu a' fuireach fada ann an Steòrnabhagh?
CALUM	O, tha mi duilich. Tha mi ga do thuigsinn a-nise. Tha mi a' smaoineachadh gum bi. 'S toigh leam e.
ALASDAIR	Tha e glé bhrèagha ceart gu leòr. Well, tha a' Ghàidhlig agad uabhasach math, co-dhiù.
CALUM	Tha mi math gu leòr air leughadh agus sgrìobhadh Gàidhlig – ach chan eil mi uabhasach math air bruidhinn, tha eagal orm.
ALASDAIR	Chan eil thu dona idir. Seall mise – tha mi a' bruidhinn Gàidhlig fad an latha ach chan urrainn dhomh sgrìobhadh Gàidhlig.
CALUM	Seadh?
ALASDAIR	Chan urrainn. Bidh mi a' sgrìobhadh mo litrichean ann am Beurla. Ach co-dhiu, dé tha thu ag iarraidh?
CALUM	A bheil càise agad?
ALASDAIR	Tha. Tha pìos math an seo – a bheil cus ann?
CALUM	Chan eil – bidh sin ceart gu leòr. A-nise, thoir dhomh botal bainne. Agus ìm.
ALASDAIR	Am fear seo?
CALUM	Bidh sin glé mhath. Agus pacaid tì.
ALASDAIR	An té seo?
CALUM	Cha toigh leam an té sin idir, tha eagal orm. Thoir dhomh an té ud.
ALASDAIR	Glé mhath. Seo.
CALUM	Tapadh leat. A-nise: a bheil uighean agad?
ALASDAIR	Tha. Dé seòrsa?
CALUM	An fheadhainn mhóra.
ALASDAIR	Seo.
CALUM	Agus dà phacaid bhriosgaidean.
ALASDAIR	Dé seòrsa?
CALUM	Sèorsa sam bith.
ALASDAIR	An toigh leat an fheadhainn seo?
CALUM	Tha mi duilich, cha toigh l'.
ALASDAIR	An fheadhainn seo?
CALUM	Gabhaidh mi iad sin. 'S toigh leam iad. Dé na tha na rudan sin, ma tha?
ALASDAIR	Not agus ceithir fichead sgillin.
CALUM	Sin agad e.

ALASDAIR	Tapadh leat.
CALUM	Tha mi a' falbh, ma tha. Tha mi a' dol sios do'n bhàr a-nise.
ALASDAIR	A bheil? Tha mise a' dol sios mi fhìn nuair a dhùineas a' bhùth.
CALUM	Cuin a bhios sin?
ALASDAIR	Bidh mi deiseil an seo aig sia uairean. Ma bhitheas tu ann aig deich mionaidean an deidh a sia, chì mi an sin thu, 's dòcha.
CALUM	Glé mhath.
ALASDAIR	Fuirich, fosglaidh mi an doras dhut.
CALUM	Tapadh leat. Feasgar math.
ALASDAIR	Feasgar math leat fhéin.

In the bar.

TORMOD	Hallo, tha thu ann, a Chalum.
CALUM	Tha – an seo.
TORMOD	Dé ghabhas tu? Uisge-beatha no leann?
CALUM	Gabhaidh mi té bheag, tha mi a' smaoineachadh. Tapadh leat.

Gets the drink.

TORMOD	Sin thu.
CALUM	Slàinte. Tapadh leat.
TORMOD	Slàinte. Có bha anns a' bhùth?
CALUM	Cha robh ach an duine fhéin.
TORMOD	Alasdair? Dé bha e a' dèanamh?
CALUM	Bha e a' glanadh na h-uinneig nuair a chaidh mi a-staigh.
TORMOD	Dé bha e a' ràdh?
CALUM	Bha e a' ràdh gu bheil Gàidhlig mhath agam.
TORMOD	Cha robh e ceàrr an sin idir.
CALUM	A bheil thu a' smocadh?
TORMOD	Chan eil.
CALUM	Am faod mise smocadh?
TORMOD	O, faodaidh gu dearbh. Siuthad – tha mise coma.
CALUM	A bheil biadh anns a' bhàr seo?
TORMOD	Chan eil móran ann, ach tha brot ann, agus feòil fhuar. A bheil an t-acras ort?
CALUM	Tha. Cha do ghabh mi biadh idir an-diugh aig uair. Bha mi ro thrang.

Calum gets himself a snack and sits down.

CALUM	O, chan eil sgian agus forca agam. Fuirich mionaid.

He goes for cutlery and sits down to his meal.

TORMOD	A bheil am brot math?
CALUM	Tha – ach tha e ro theth. Saoil an toir thu dhomh an salainn?

TORMOD	Seo.
CALUM	Tapadh leat.
TORMOD	Am bi thu aig a' chéilidh a-nochd?
CALUM	A bheil céilidh ann a-nochd?
TORMOD	Tha – tha céilidh ann a h-uile Di-haoine.
CALUM	Cuin a tha e ann?
TORMOD	Aig lethuair an deidh a seachd.
CALUM	Có bhios a' seinn?
TORMOD	Chan eil fhios agam.
CALUM	Chan urrainn dhomh dol ann co-dhiù. Chuir mi an càr do'n *gharage* an-diugh. A bheil thu fhéin a' dol ann?
TORMOD	Chan eil fhios agam.
CALUM	Dé tha air an telebhisean a-nochd? – a bheil fhios agad? Chan eil mi a' smaoineachadh gu bheil càil math air. Cha toigh leam an telebhisean co-dhiù.
TORMOD	Carson?
CALUM	Ach well, chan eil móran rudan math air uair sam bith an dràsda. Càil ach 'repeats'. Ach – chunnaic mi aon rud math air an raoir – 'Can Seo'. (Sorry about that!) Much later.
TORMOD	A bheil thu ag iarraidh drama eile?
CALUM	Chan eil, tapadh leat. Dh'òl mi gu leòr – cus, 's dòcha. Feumaidh mi falbh dhachaigh a-nise, no cha bhi Màiri toilichte agus bidh i a' trod rium. Tha sinn a' dol a-mach aig ochd uairean. Dé an uair a tha e co-dhiù? (You'll notice that Calum has suddenly become very fluent in Gaelic!)
TORMOD	Tha e deich mionaidean gu a h-ochd.
CALUM	Bidh i a' trod!
TORMOD	Cha bhi – ma chuireas mi fhìn dhachaigh thu anns a' chàr agam.
CALUM	Chan urrainn dhut. Ghabh thu cus – tha an deoch ort, tha eagal orm.
TORMOD	Chan eil, tha mi ceart gu leòr.
CALUM	Chan eil mi a' smaoineachadh gu bheil. Feumaidh mi coiseàchd. Chan eil busaichean ann.
TORMOD	Well, théid mi fhìn còmhla riut 's cha bhi Màiri a' trod.
CALUM	Ceart gu leòr. Trobhad.

Outside: A little later.

CALUM	Fuirich rium. Tha thu a' coiseachd ro luath – tha brògan ùr orm.
TORMOD	Tha mi duilich.
CALUM	Ach – dh'fhàg mi mo chòta. Chuir mi dhiom anns a' bhàr e.

TORMOD	Bidh e ceart gu leòr an sin gu a-màireach.
CALUM	Cha bhi - tha cóig notaichean anns a' chòta agus bidh . . . .
TORMOD	Tha fhios agam – bidh Màiri a' trod.
CALUM	Tha mi a' dol air ais. Fuirich rium. Cha bhi mi mionaid.
TORMOD	Chan fhuirich! Tha mise a' falbh dhachaigh.

Later: At Calum's house.

MAIRI	Càite robh thu fad an fheasgair? Agus fad na h-oidhche?
CALUM	Bha mi anns a' bhùth.
MAIRI	Gu cairteal an deidh a h-ochd?
CALUM	Tha mi duilich. Bha mi anns a' bhàr, tha eagal orm, a Mhàiri.
MAIRI	An robh?
CALUM	Bha.
MAIRI	Tha sin ceart gu leòr.
CALUM	A bheil?
MAIRI	Tha.
CALUM	O?

Every good story has a happy ending.

16 Sia deug
'Se amadan a tha annad!

Na Bonaidean: Pàirt 16

Dòmhnall finds, to his annoyance, that the demand for tweed is increasing while the demand for tartan is waning. Catriona isn't enjoying working in the Craft Shop — a row from Dòmhnall brings matters to a head. Dòmhnall decides to drown his sorrows.

Scene II: The snack bar. Anna comes in.

ALASDAIR   O Anna! Trobhad thusa còmhla riumsa - 'Mo nighean donn bhòidheach'! *Singing to her.*

ANNA   'Se amadan a tha annad, Alasdair.

ALASDAIR   Agus 'se nighean bhrèagha a tha annadsa, Anna.

ANNA   Agus 'se nighean bhrèagha a tha ann an Sylvia . . . . eh, Alasdair?

ALASDAIR   'Se gu dearbh. Càite bheil i a-nise?

ANNA   Ann an Lunnain – ach 's dòcha gun tig i air ais an seo.

ALASDAIR   A bheil i a' ràdh sin?

ANNA   Tha. A bheil thu ag iarraidh cofaidh, Alasdair?

ALASDAIR   Mmmmm . . . .

ANNA   Saoil a bheil obair an seo dhomh, Alasdair?

ALASDAIR   Am bu toigh leat sin?

ANNA   A' dèanamh cofaidh, agus brot, agus biadh : . . . . . . : duine an deidh duine a' tighinn a-staigh.

ALASDAIR   *Impersonating a lorry driver.* Oi . . . oi . . . tha nighean ùr againn an seo. Hallo, dé an t-ainm a tha ortsa?

ANNA   *Joining in the joke.* 'Se draibhear a tha annadsa, eh?

ALASDAIR   Draibhear! 'Se, 'se draibhear a tha annam. Fad an latha air an rathad! Agus fad na h-oidhche. Tha mi sgìth. Agus tha an t-acras orm. *Banging his fist on the counter.* Greas ort! A bheil thu ga mo chluinntinn? Greas ort!

ANNA   Seo dhut do chofaidh.

ALASDAIR   *After a pause.* Cha bu toigh leat an obair seo idir, Anna.

ANNA   Cha bu toigh l'.

ALASDAIR   Théid thusa, Anna, air ais còmhla ri Dòmhnall.

ceart	*properly*
'Mo nighean donn bhòidheach'	*'My Nutbrown Maiden'*
gun tig i	*that she will come*
ris	*to him*
sgìth dheth	*tired of it*
rathad	*road*
thubhairt	*said*

Can Seo 'Se amadan a tha annad

Remember: 'SE (the 'general' form), AN E? (question), CHAN E (negative), NACH E (negative question), are forms of the verb IS. They are used to make general statements about people or things eg. nationality, occupation and for emphasis.
Usually, sentences with IS are similar in form to the 'key sentence above.

Nach e tha fuar an-diugh

Remember: NACH E THA FUAR AN-DIUGH means 'Isn't it cold today'.

'Se	Sasunnach	a tha (etc.)	annam (mi)
an e?	dotair		annad (thu)
chan e	baile mór		ann (e)
nach e?			innte (i)
			annta (iad)
			ann an . . .
			anns a' . . .

Dé an t-ainm a tha air . . . . . ?

Remember: DE AN T-AINM A THA AIR means 'What is the name of?'

Obair

1 Look at these sentences carefully, making sure you understand them (if not check back). Then make up new sentences, bringing forward the word underlined, for emphasis – as in **a**.

a   Tha *Alasdair* a' seinn aig a' chéilidh a-nochd. 'Se Alasdair a tha a' seinn aig a' chéilidh a-nochd.
b   Tha *Dòmhnall* a' bruidhinn ri Màiri.
c   Bha *Anna* ag obair anns a' chafé an-raoir.
d   Bha *Iain* còmhla riut nuair a chunnaic mi thu.

e Bidh *Calum* ag obair air a' bhàta a-màireach: chan eil Alasdair gu math.

f Bidh *Tormod* a' coiseachd dhachaigh còmhla ri Catriona a h-uile oidhche.

g Dhùin *am balach* na dorsan dhomh.

h Chuir *an nighean* a-mach na cait dhomh.

i Dh'fhàg *an duine sin* airgead air a' bhòrd anns a' bhàr.

j Rinn *Iain* an cofaidh ach dh'òl *Tormod* e.

k Tha *Iain* a' fosgladh na h-uinneagan agus tha *Alasdair* gan glanadh.

l Chunnaic mi *Màiri* anns a' bhùth an-dé.

m Cuiridh *Oighrig* sin ceart.

a   b   c   d   e

2 **a** An e tidsear a tha innte?

   b An e Sasunnach a tha ann?

   c An e ministear a tha ann?

   d An e dotair a tha ann?

   e An e nurs a tha innte?

3 Iain is the friendly type, on the bus to Portree he strikes up conversation with Tormod who is on his way home.

Put the following phrases in the correct gaps, reading out the conversation as you do so, preferably with someone else.

   a Agus sin dà fhichead sgillin air ais.

   b An e Hearach a tha annad?

   c 'Se tidsear a tha annam.

   d 'Se gu dearbh.

   e Tha Iain.

   f An e seo am bus a tha a' dol gu Portrìgh?

   g Dé an t-ainm a tha air an nighean ud?

IAIN	. . . . ?
DRAIBHEAR	'Se.
IAIN	An e thusa an draibhear?
DRAIBHEAR	'Se.
IAIN	Cuin a tha thu a' falbh?
DRAIBHEAR	Ann an deich mionaidean.
IAIN	Dé na tha e gu Portrìgh?
DRAIBHEAR	Tha e dà not agus deich sgillin.
IAIN	Sin dà not agus lethcheud sgillin.
DRAIBHEAR	. . . .

On the bus: Iain starts talking to Tormod

IAIN	Dé an t-ainm a tha air a' bhaile sin?
TORMOD	Tha Luib.
IAIN	'Se baile brèagha a tha ann, nach e?
TORMOD	. . . .
IAIN	Dé an t-ainm a tha air a' bheinn sin?
TORMOD	Tha mi duilich. Chan eil fhios agam.
IAIN	'Se beinn mhór a tha innte, nach e?
TORMOD	'Se. Càite bheil thu a' dol?
IAIN	Tha mi a' dol gu Portrìgh.
TORMOD	. . . . ?
IAIN	Chan e. 'Se Sasunnach a tha annam.
TORMOD	Sasunnach? Tha Gàidhlig uabhasach mhath agad, ma tha.
IAIN	Well, tha beagan agam. Tha mi ag ionnsachadh Gàidhlig. Tha mi ga do thuigsinn math gu leòr ach chan eil mi math air bruidhinn, tha eagal orm.
TORMOD	Chan eil thu dona. Dé an t-ainm a tha ort?
IAIN	. . . . Dé an t-ainm a tha ort fhéin?
TORMOD	Tha Tormod. Có ás a tha thu?
IAIN	Tha mi á Birmingham.
TORMOD	Agus dé tha thu a' dèanamh an sin?
IAIN	'Se draibhear bus a tha annam. (On the proverbial busman's holiday, obviously). Dé tha thu fhéin a' dèanamh?
TORMOD	. . . .

Anna speaks to Tormod as she gets off the bus.

TORMOD	Hallo, Anna. Nach e tha fliuch an-diugh?
ANNA	Tha gu dearbh. Agus fuar. Anna goes
IAIN	. . . .
TORMOD	Tha Anna 'Se nurs a tha innte.
IAIN	An e? 'Se nighean bhrèagha a tha innte.
TORMOD	'Se gu dearbh. Seo Portrìgh, ma tha.
IAIN	Ah 's math sin. Bha mi glé sgìth air a' bhus. Cheerio.

He sets off, but Tormod calls him back.

TORMOD	Haoi, Iain. Dh'fhàg thu do bhaga air a' bhus.
IAIN	O, dh'fhàg. 'Se amadan a tha annam!

17 Seachd deug
Nach ann ann a tha an latha math?

Na Bonaidean: Pàirt 17

Eilidh is thinking of leaving the Craft Shop. Alasdair recommends a hangover cure to Dòmhnall. Catriona, having left the Craft Shop, sets off to try her luck in Glasgow.

Scene II: The snack bar, midday. Dòmhnall comes in.

ALASDAIR	Thig a-staigh, a Dhòmhnaill! Thig a-staigh! *Dòmhnall grunts a reply.* Nach ann ann a tha an latha math? *No response.* Agus ciamar a tha thu an-diugh?
DOMHNALL	O, chan eil gu math idir . . . . bha an deoch orm an-raoir, nach robh?
ALASDAIR	Cha robh thu dona.
DOMHNALL	Siuthad, ma tha – cupa cofaidh, *dubh*, le siùcar.
ALASDAIR	An robh thu ag obair?
DOMHNALL	Cha robh . . . cha robh . . . chan urrainn dhomh an-diugh.
ALASDAIR	Well . . . innsidh mise dhut. Tha fhios agamsa air diune agus bidh e a' gabhail na deoch – smùid mhór – a h-uile Di-haoine. 'Se tidsear a tha ann. 'Se amadan a tha ann cuideachd.
DOMHNALL	Tidsear, eh? An ann dubh a tha am falt aige?
ALASDAIR	A bheil fhios agad có tha mi a' ràdh?
DOMHNALL	Tha, tha fhios agam air.
ALASDAIR	Well, ma tha . . . . bithidh an deoch air a h-uile Di-haoine – deoch mhór. Agus anns a' mhadainn Di-sathurna – a bheil fhios agad dé bhios e a' dèanamh?
DOMHNALL	An ann ag òl cofaidh dubh a bhios esan cuideachd?
ALASDAIR	Chan ann: ach bidh e a' coiseachd mìle. Chì thu e glé thric shios aig a' chladach. No, 's dòcha thall air a' bheinn . . . . . . a' coiseachd.
DOMHNALL	Tha fhios agam. Chunnaic mi fhìn e.
ALASDAIR	Bhiodh sin math dhutsa an dràsda, tha mi a' smaoineachadh. Thalla sios chun a' chladaich, a Dhòmhnaill . . . . . agus fuirich ann gu feasgar. No theirig suas do'n bheinn . . . .

air	*'on him'*
bhiodh	*it would be*
Dé seòrsa baga a thà ann?	*What kind of bag is it?*

fàgail	*leaving*
falt	*hair*
mar sin leat	*goodbye*
mìle	*mile*
smùid	*binge*
thugad	*to you*

Can Seo — 'S ann á Glaschu a tha mise

Remember: 'SANN, AN ANN? (question), CHAN ANN (negative) and NACH ANN? (negative question) are forms of IS. They are used when anything other than a noun (see 'SE Lesson 16) is being emphasised.

'S ann leamsa a tha an leabhar sin

Remember: Whereas AIG/AGAM etc. means 'having' something (without necessarily 'owning' it) LE/LEAM etc. is used of ownership. It is usually used with the 'S ANN construction. In this construction, LEAM usually has an emphatic ending.

Nach ann ann a tha an latha math?

Remember: NACH ANN ANN A THA AN LATHA MATH? means 'Isn't it a nice day?'

Obair

1   a   You're the man in overalls – you want to ask the other man if it's by bus he's going home.

     Start: 'An ann . . . . ?'

    b   Ask the woman if the purse is hers.

     Start: 'An ann . . . . ?'

2 You've just come off the boat, you've asked directions to the 'Taigh-Osda' and you're told – Theirig sìos an rathad seo, gabh an rathad gu do làmh cheàrr an sin, agus a' chiad rathad gu do làmh cheart, aig a' Phost-Oifis, agus tha thu aig an Taigh-Osda.

Now, how would you direct someone from the pier to:

a Taigh Ruairidh
b The Post Office
c Taigh Sheumais

3. Using 'SANN, CHAN ANN or AN ANN? rephrase these sentences, putting the emphasis on the words underlined. (Remember to make any necessary changes in the main verb).

a Tha an céilidh ann *aig ochd uairean.*
  'Sann aig ochd uairean a tha an céilidh ann.
b Am bi thu *aig an taigh* ag obair a-nise?
  An ann aig an taigh a bhios tu ag obair a-nise?
c Cha do dh'fhàg mi mo sheacaid *anns a' bhàr* idir.
  Chan ann anns a' bhàr a dh'fhàg mi mo sheacaid idir.

d Tha am partaidh *anns an taigh agamsa* a-nochd.

e Tha Iain ag obair *air a' bhàta* an-diugh.

f A bheil thu *a' dol dhachaigh*?

g A bheil an taigh agad *faisg air a' chladach*?

h A bheil an càr agad *dubh*?

i An robh thu *anns a' bhàr* an-raoir nuair a bha mi aig an taigh agad?

j Cha robh e a' ràdh sin *riumsa* idir.

k Bha Queen Victoria a' fuireach *anns an taigh-òsda seo* nuair a bha i an seo.

l Am bi thu ag obair *an seo* a-maireach?

m Bidh mi a' glanadh an taighe *anns a' mhadainn*.

n Cha do dh'fhàg mi mo chòta *anns an taigh aig Mairead* idir.

o Rinn mi sin *an-diugh*.

p An cuir mi na spàinean *air a' bhòrd*?

18 Ochd deug
Có's fheàrr leat cofaidh na tì

Na Bonaidean: Pàirt 18

Iain realises that Eilidh intends to leave the Craft Shop and to take in B & B guests: he isn't very pleased. Meanwhile, Catriona hasn't been able to find a job in Glasgow and is very unhappy. Anna also is still out of work and dispirited.

Scene II: The snack bar. Anna comes in.

ALASDAIR Hallo, Anna. Thig a-staigh.
ANNA Hallo.
ALASDAIR Tha an t-uisge ann.
ANNA Tha, ach tha e beagan nas fheàrr a-nise na bha e anns a' mhadainn. Seall mo chòta . . . . . cho fliuch!
ALASDAIR A bheil an cnatan ort?
ANNA Tha, ach tha mi nas fheàrr na bha mi.
ALASDAIR Tha mise a' dèanamh brot math teth.
ANNA Glé mhath.
ALASDAIR Có's fheàrr leat aran na *roll* leis a' bhrot?
ANNA Tha mi coma. *Pause.* Tha obair gu leòr agad an seo, Alasdair.
ALASDAIR Tha cus obair ann airson aon duine. Tha mi uabhasach sgìth a h-uile feasgar.
ANNA Tha mise sgìth cuideachd . . . . sgìth a' suidhe fad an latha.
ALASDAIR Theirig air ais do'n bhùth còmhla ri Dòmhnall.
ANNA Chan eil Dòmhnall gam iarraidh, ge ta.
ALASDAIR A bheil thu fhéin a' smaoineachadh sin?

anns an spot	*immediately*
bho	*from, since*
cha tig i	*she will not come*
cuideigin	*someone*
dhaibh	*for them: 'iad' form of 'do'*
gabh mo leisgeul	*excuse me*
gu dearbh fhéin	*most certainly*
nach e?	*isn't it?*
rithe	*to her*

78

rùm	room
seachdain	week
sinne	emphatic form of 'sinn'

Can Seo — Tha an càr agamsa nas ùire na an càr agadsa

Remember: UR means 'new'; UIRE means 'newer' or 'newest'. This form of the adjective is arrived at, usually, by placing the letter I before the last consonant and adding E: there may also be a change in the vowel sound. The programme and the discs/cassettes demonstrate what these changes sound like and should be listened to carefully. There are also a number of 'irregular' adjectives (see the tables below).

Generally speaking, if two things are being compared, and the two are named, you use the appropriate tense of THA and put NAS before the adjective.

Common exception: answers to the question CO'S FHEARR LEAT (see below).

'Se Dòmhnall as motha de na balaich

Remember: Generally speaking, if it's not a case of *directly* comparing two things, you use 'SE and place AS before the adjective.

Note: In the key sentence above, you could use this construction even if there were only two boys, because the comparison is *indirect*.

'S fheàrr dhomh

Remember: 'S FHEARR DHOMH means 'I'd better'

'S fheàrr leam

Remember: 'S FHEARR LEAM means 'I prefer'

'S math sin

Remember: 'S MATH SIN means 'That's good'

Tha e cho mór ri taigh

Remember: CHO means 'as' or 'so'. If there is a noun after the adjective, RI is placed between the adjective and it.

Tha an cnatan orm

Remember: THA AN CNATAN ORM means 'I have a cold'

Tha an t-uisge ann

Remember: THA AN T-UISGE ANN means 'It's raining'

Ard	àirde	brèagha	brèagha
blàth	blàithe	buidhe	buidhe
dearg	deirge	toilichte	toilichte
dubh	duibhe	uaine	uaine
fliuch	fliuche		
geal	gile	fada	fhaide
luath	luaithe	fuar	fhuaire
sgìth	sgìthe		
trang	trainge	beag	lugha
ùr	ùire	dona	miosa
		duilich	duilghe
		math	fheàrr
		mór	motha

Obair

1 Fill in the gaps with the appropriate form of the adjective, as in **a**.

a Tha an càr agamsa *math*: tha e nas *fheàrr* na an càr agadsa.

b Tha a' bheinn sin *àrd*: tha i nas . . . . na té sam bith eile anns an àite seo.

c Tha na bùithtean seo *math*: tha iad nas . . . . na an fheadhainn anns a' bhaile mhór.

d Tha an nighean a' fàs *mór*: tha i nas . . . . . . na am balach.

e Tha e *fuar* an-diugh: tha e nas . . . . na bha e an-dé.

f Tha an t-seacaid ùr agam *blàth*: tha i nas . . . . na còta.

g Tha an leabhar seo *fada*: tha e nas . . . . na am fear eile.

h Tha an t-uisge *dona*: tha e nas . . . . na bha e anns a' mhadainn.

2 The two girls are having an argument – reconstruct their conversation putting the dialogue in the correct speech balloons.

a Tha mise nas blàithe na thusa!
Tha mise nas fhuaire na thusa!

b Tha mise nas luaithe na thusa!

c Tha mise nas motha na thusa!
Tha mise nas lugha na thusa!

d Tha mise nas brèagha na thusa!
Tha mise nas fheàrr na thusa!

3 Assume that the girl without a dufflecoat is called Màiri, answer these questions. **a** *has been done for you.*

a Có's lugha de'n dithis nighean?
'Se Màiri as lugha (de'n dithis nighean)
b Có's fhuaire de'n dithis nighean?
c Có's fheàrr de'n dithis nighean?
d Có's luaithe de'n dithis nighean?

4 As yourself, answer these questions with ''S fheàrr leam . . . . .' or 'Tha mi coma' (I don't mind) or 'Cha toigh leam . . . . .' ('I don't like . . . . .').

a Có's fheàrr leat leann na uisge-beatha?
b Có's fheàrr leat cofaidh na tì?
c Có's fheàrr leat cofaidh dubh na cofaidh geal?
d Có's fheàrr leat tì le siùcar na tì gun siùcar?
e Có's fheàrr leat uighean na feòil?
f Có's fheàrr leat briosgaidean na cèic?
g Có's fheàrr leat nighean bheag na balach beag.
h Có's fheàrr leat cat na cù.
i Có's fheàrr leat Glaschu na Dun-Eideann.

19

Naoi deug
A' bruidhinn ri chéile

Na Bonaidean: Pàirt 19

Iain and Eilidh have a big row about her plans to leave the Craft Shop and to take in guests: she has the last word. Dòmhnall, having decided to reintroduce tweed, asks Anna to come back to the Craft Shop: she agrees.

Scene III: The craft shop. There is a knock at the door.

DOMHNALL	*Annoyed.* Thig a-staigh! *Anna comes in.* Anna!
ANNA	Hallo, a Dhòmhnaill.
DOMHNALL	Suidh sios, suidh sios.
ANNA	Tapadh leat.
DOMHNALL	Có's fheàrr leat tì na cofaidh?
ANNA	Cofaidh, tapadh leat.
DOMHNALL	Agus ciamar a tha thu, Anna?
ANNA	O, glé mhath. Ciamar a tha thu fhéin?
DOMHNALL	Well . . . chan eil mi dona. Ach tha sinn trang an seo an dràsda – ro thrang. An-diugh fhuair mi fón á Lunnain . . . ag iarraidh trì dusan baga. Fón á Glaschu ag iarraidh bonaidean . . .
ANNA	Cia mheud?
DOMHNALL	Dusan gu leth – ochd deug.
ANNA	Bonaidean tartain?
DOMHNALL	*Laughing.* Ach, Anna . . . . tartan *agus* clò.
ANNA	O? A bheil thu a' dèanamh bonaidean clò a-rithist?
DOMHNALL	Tha . . . . tha gu dearbh. A-nise . . . . Anna, am bu toigh leat tighinn air ais an seo a-rithist?
ANNA	A bheil thu gam iarraidh?
DOMHNALL	O tha, Anna. Chan eil duine agam a-nise – tha Eilidh a' fàgail.
ANNA	Chuala mi sin.
DOMHNALL	An tig thu còmhla rium?
ANNA	Ceart gu leòr, a Dhòmhnaill.
DOMHNALL	O, 's math sin. Tha mi uabhasach toilichte. Well, a-nise, cuin a thig thu?
ANNA	Uair sam bith.
DOMHNALL	A-màireach?
ANNA	Glé mhath. Bidh mise an seo a-màireach aig lethuair an deidh a a h-ochd.

They go on to talk about Catriona, Dòmhnall has had a postcard from her. But Catriona is, in fact, on her way back already, having failed to find work in Glasgow.

a chanas mise	*that I say*
peant	*paint*
shuas	*up*
uair sam bith	*any time*

Can Seo Tha Màiri a' dol a sheinn

Remember: THA MAIRI A' DOL A SHEINN means 'Mary is going to sing'. THA MI DOL A DHEANAMH means 'I am going to do . . .'

Tha am pathadh orm

Remember: THA AM PATHADH ORM means 'I am thirsty'

Tha cabhag orm

Remember: THA CABHAG ORM means 'I am in a hurry'.

Cia mheud duine

Remember: CIA MHEUD? ('How many') is followed by a singular noun.

Gu bhith deiseil

Remember: GU BHITH DEISEIL means 'almost ready', 'almost finished'.

Obair

1 Read this story about Seumas's redecorating – and answer the questions that follow, preferably from memory.

Nuair a bha Iain a' tighinn air ais dhachaigh an-raoir, chunnaic e Seumas shios aig a' bhùth. Bha iad a' bruidhinn ri chéile greiseag. Bha Seumas a' ràdh gu robh e trang a-staigh – a' cur paipear ùr air a' bhalla. Thubhairt Iain, 'Innsidh mi dhut dé nì sinn – théid mise còmhla riut agus, nuair a bhios sinn deiseil, théid sinn a-mach airson drama bheag. Am bi sin ceart gu leòr?' 'Bithidh gu dearbh,' thubhairt Seumas.

Nuair a thàinig iad gu taigh Sheumais, chaidh iad a-staigh. Chuir Seumas air an solas, shuidh iad sios agus ghabh iad cigarette. Nuair a bha iad deiseil thubhairt Iain, 'An e am paipear sin a tha thu a' cur air a' bhalla?' 'Se,' thubhairt Seumas, 'An toigh leat e?' Cha robh Iain a' smaoineachadh gu robh am paipear uabhasach brèagha idir agus thubhairt e sin ri Seumas.

'Seo,' thubhairt Seumas, agus thug e am paipear do Iain.

Aig deich uairean, thubhairt Iain 'Tha mise sgìth. Bidh sin gu leòr a-nochd, nach bi?' Ach thubhairt Seumas, 'Cha bhi – chan eil sinn deiseil fhathast.'

Aig lethuair an deidh a deich, bha Iain a' faicinn gu robh iad gu bhith deiseil, ach thubhairt Seumas an uair sin 'Rinn sinn glé mhath – nì sinn an cidsin a-nise, tha mi a' smaoineachadh.' Cha robh Iain idir toilichte, ach cha bu toigh leis falbh. Cha robh iad deiseil gu cairteal gu dà uair dheug. Shuidh Seumas sios. Thubhairt Seumas gu robh e a' dol a dhèanamh tì.

'Tì?' thubhairt Iain. 'Tha am pathadh orm. A bheil leann agad?' 'Chan eil leann agam idir', thubhairt Iain. 'Cha toigh leam leann. Nì mi tì – a bheil thu ag iarraidh biadh? Tha biadh gu leòr agam.' 'Chan eil an t-acras orm,' thubhairt Iain, 'ach tha am pathadh orm. Agus tha mi sgìth.' Chuir Iain air an t-seacaid aige. 'An ann a' falbh a tha thu?' thubhairt Seumas. ''Sann.' thubhairt Iain.

'Bithidh mi gad fhaicinn, ma tha,' thubhairt Seumas. ''S dòcha.' thubhairt Iain, agus e a' dùnadh an dorais.

a Cuin a chunnaic Iain Seumas an-raoir?
b Càite robh e?
c Dé cho fad 's a bha iad a' bruidhinn?
d Dé bha Seumas a' ràdh ri Iain?
e Dé thubhairt Iain ri Seumas?
f Dé rinn iad nuair a thàinig iad gu taigh Sheumais?
g An toigh le Iain am paipear ùr aig Seumas?
h Cuin a dh'fhàs Iain sgìth – dé an uair a bha e?
i Dé thubhairt Seumas nuair a bha iad gu bhith deiseil aig lethuair an deidh a deich?
j Cuin a bha iad deiseil?
k An robh Iain ag iarraidh tì no biadh?
l Dé bha e ag iarraidh?
m Dé rinn Iain?

2 Read through Seumas and Calum's conversation, filling in the gaps with the phrases below. When you've done this, read it through again, making sure you understand it all.

CALUM   Tha thu ann. Tha oidhche mhath ann.

SEUMAS   Tha gu dearbh – oidhche bhrèagha. Càite robh thu ag obair an-diugh?

CALUM   . . . . Feasgar, bha mi ag obair greiseag còmhla ri Iain air an taigh ùr.

SEUMAS   . . . . ?

CALUM   Tha – cha bhi e fada a-nise.

SEUMAS   'S math sin. Tha mise a' dol a dhèanamh taigh ùr mi fhìn – shuas aig a' bheinn an sin.

CALUM   . . . .

SEUMAS	Có thubhairt riut e?
CALUM	Thubhairt Màiri – tha fhios aig Màiri air a h-uile rud a tha a' dol.
SEUMAS	Tha gun teagamh. Cia mheud duine a bha agad fhéin air a' bhus an-diugh?
CALUM	. . . . : balach agus nighean. . . . . Fhuair mise e agus thug mi do'n pholasman e.
SEUMAS	Càite bheil thu a' dol a-nise?
CALUM	Tha mi a' dol sios am baile. A bheil thu a' tighinn?
SEUMAS	Chan urrainn dhomh, tha eagal orm . . . .
CALUM	Mar sin leat, ma tha.
SEUMAS	Mar sin leat fhéin.

a   Chuala mi sin.
b   Tha cabhag orm.
c   Bha mi ag obair shios anns a' bhùth anns a' mhadainn.
d   Bha dithis.
e   A bheil e gu bhith deiseil?
f   Dh'fhàg an nighean baga air a' bhus.

20 Fichead
Mar sin leibh

Na Bonaidean: Pàirt 20

There are two unexpected visitors: Sylvia, who now works for a fashion shop in London – and Catriona. Catriona is very dejected but the offer of her old job in the hotel and Dòmhnall's warm welcome cheer her up. They all gather in the bar eventually as this is Eilidh's last day in the Craft Shop.

Scene IV: The snack bar. Catriona comes in.

ALASDAIR   A Chatriona! Ceud mìle fàilte! Thig a-staigh, thig a-staigh.

CATRIONA   Hallo, Alasdair. *She sits down, looking very unhappy.*

ALASDAIR   Agus ciamar a tha thu, a Chatriona? Tha mi toilichte gu bheil thu air ais.

CATRIONA   O, Alasdair, tha mi cho sgìth. *She begins to cry.*

ALASDAIR   Isd a-nise. Isd thusa. *Comforting her.* Isd thusa, mo nighean bheag bhòidheach. Tha thu cho sgith . . . ssssh . . . . .

CATRIONA   *Beginning to laugh now.* Ach, Alasdair . . . . 'se amadan a tha annad.

ALASDAIR   Tha fhios agam. Seo – gabhaidh tu drama bheag. Am bi thu a' dol air ais a Ghlaschu?

CATRIONA   Chan eil fhios agam. 'S dòcha . . . . . .

ALASDAIR   A bheil obair agad?

CATRIONA   Chan eil.

ALASDAIR   An tig thu air ais còmhla riumsa an seo?

CATRIONA   Dé?

ALASDAIR   Tha mise trang a h-uile latha. Tha cus obair ann airson aon duine. Feumaidh mi cuideigin eile. Fuirich thusa an sin mionaid . . . . .

He gets an apron and helps her on with it, then steps back to look at her.

ALASDAIR   Tha . . . tha thu uabhasach snog. Uabhasach snog.
There's a shout from the bar.
Fuirich. Cha bhi mi fada. *He goes through.*

ALASDAIR   *Coming back.* A Chatriona, 'se Dòmhnall a tha ann. Agus tha nighean còmhla ris.

CATRIONA   O?

ALASDAIR   Tha – té á Canada. Trobhad a-staigh do'n bhàr agus chì thu i.

She goes through with him.

CATRìONA O! Sylvia!

SYLVIA Hallo, a Chatriona. Ciamar a tha thu?

CATRIONA Glé mhath, tapadh leat. Ach bha mi a' smaoineachadh gu robh thusa ann an Canada.

SYLVIA Thàinig mi air ais. Tha mi ag obair ann am bùth mhór ann an Lunnain a-nise.

DOMHNALL Fhuair mi do phostcard, a Chatriona.

CATRIONA Agus fhuair mise obair – an seo.

DOMHNALL Cha bu toigh leat a' bhùth co-dhiù . . .

CATRIONA 'S fhèarr leam an obair seo.

DOMHNALL Co-dhiù: tha mi toilichte, uabhasach toilichte gu bheil thu air ais còmhla ruinn, a Chatriona.

CATRIONA Tha mise toilichte cuideachd.

Air do dheagh shlàinte!	*Your health!*
an tig thu?	*will you come?*
a-rithist	*later*
bòidheach	*beautiful*
Bu toigh leam 'Tapadh Leibh' a ràdh	*I'd like to say Thank You*
ceud mìle fàilte	*a hundred thousand welcomes*
cuairt	*a walk, trip*
dhòmhsa	*emphatic form of 'dhomh'*
leotha	*'iad' form of 'le'*
mu dheireadh	*the last*
Slàinte Catriona!	*Catriona's health!*

Obair

1 You've given these answers. What questions were you asked?

a . . . . Tha gu math, tapadh leat.

b . . . . Chan eil, tha eagal orm. Can a-rithist e.

c . . . . Chan e, 'se draibhear a tha annam.

d . . . . Tha Dòmhnall MacLeòid.

e . . . . Bha, ach tha mi nas fheàrr a-nise.

f . . . . Chan eil, tapadh leat. Chan eil an t-acras orm.

g . . . . Tha, tapadh leat. Tha am pathadh orm.

h . . . . Gabhaidh mi drama, tapadh leat.

i . . . . Chan eil. Tha an còta ùr seo glé bhlàth.

j . . . . Chan eil, 's fheàrr leam cofaidh dubh.

k . . . . Tha e fichead mionaid gu seachd.

l . . . . Tha e dà not agus cóig sgillin deug.

m . . . . Faodaidh gu dearbh. Tha mi fhìn a' smocadh cuideachd.

n . . . . O . . . feadhainn sam bith.

o . . . . Tha mi á Lunnain.

a Tha mi math air bruidhinn Gàidhlig.

b Chan eil agam ach trì fichead sgillin agus bidh am bus not: feumaidh mi coiseachd dhachaigh.

c Tha mi a' dol do'n taigh aig Dòmhnall ach chan eil fhios agam càite bheil e.

d Tha mi duilich, chan eil mi ga do thuigsinn.

e Tha mise ceart an còmhnaidh.

f Tha taigh math agam an seo aig a' chladach, tha taigh eile agam anns a' bhaile mhór, tha airgead gu leòr agam agus car mór brèagha.

g Tha mise ceart agus tha thusa ceàrr.

h Bha mi dol a dhèanamh cofaidh ach chan eil cofaidh a-staigh.

i Bha an cnatan orm ach tha mi nas fheàrr a-nise na bha mi an-dé – tha sin math.

j Bha mi a' glanadh an taighe fad an fheasgair agus tha mi sgìth.

k Tha mi cho toilichte gum bi thu an seo còmhla rium a-màireach.

l Dh'fhàg mi mo chòta anns a' bhàr an-raoir.

m 'Se tidsear a tha annam agus 's toigh leam m'obair.

n Chan eil duine gam iarraidh.

o Tapadh leat airson an uisge-bheatha! 'S toigh leam am fear seo.

p Tha seo math: cuiridh mi air an telebhisean a-nise, suidhidh mi sios aig a' bhòrd agus gabhaidh mi cupa mór cofaidh le briosgaidean.

q Chan eil mi ga do chluinntinn, tha eagal orm.

r Tha an t-acras orm, tha cabhag orm, tha mi fuar agus fliuch.

s Feumaidh mi falbh ach tha mi ag iarraidh fuireach.

3 An A to Z of Gaelic questions, about yourself this time.

✓**a** Ciamar a tha thu?

b Dé bha thu a' dèanamh an-diugh?

c Ma bha thu a-muigh an-diugh, cuin a dh'fhàg thu an taigh agus cuin a thàinig thu air ais?

d Dé rinn thu nuair a thàinig thu dhachaigh?

e An do ghabh thu do dhinnear fhathast? Ma ghabh, dé bha agad?

f A bheil an t-acras no am pathadh ort? A bheil thu ag ithe no ag òl rud sam bith an dràsda?

g An toigh leat briosgaidean agus càise an deidh do dhinnear?

h Am bi thu a'gabhail bainne agus siùcar anns a' chofaidh an còmhnaidh?

i A bheil an cnatan ort? Ma tha e ort, a bheil thu nas fheàrr na bha thu?

j Càite bheil thu an dràsda.

k Có tha còmhla riut an sin?

✓**l** Dé an t-ainm a tha ort?

✓**m** Dé an uair a tha e?

n An e tidsear a tha annad?

o An ann á Glaschu a tha thu?

p An ann ann am baile mór a tha thu a' fuireach?

q A bheil thu a' smaoineachadh gu bheil am baile agad fhéin uabhasach brèagha?

r A bheil an t-uisge ann a-nochd (an-diugh) no a bheil oidhche mhath (latha math) ann?

s Cia mheud solas a tha air anns an taigh agad an dràsda?

t Dé na tha agad de airgead an sin?

u An urrainn dhut seinn?

v A bheil briogais dhubh no còta dubh agad?

w A bheil thu ga mo thuigsinn?

x A bheil Gàidhlig agad?

y Am bi thu ag obair air CAN SEO tric.

z A bheil thu duilich gu bheil CAN SEO deiseil a-nise?

Guide to pronunciation

These notes are intended to remind you of the pronunciation of the words you have heard in the programmes. Like the programmes, they relate mainly to Skye Gaelic. They provide a rough guide only and should not be regarded as a substitute for the discs/cassettes which, if you possibly can, you are advised to obtain. Remember that the best way to learn the pronunciation of Gaelic is by listening to native speakers.

Stress

The first syllable of a Gaelic word is usually stressed strongly, eg. *doras*. (There are, however, one or two exceptions such as *a-mach* and *carson*.)

Vowels

a 1 *can*
The letter *a* in words such as *can* is pronounced like *a* in English *cat*.

2 *doras, Dòmhnall*
In syllables other than the first, in other words when it is not stressed, *a* is usually pronounced like the second vowel in English *mother*.

There are some exceptions to this, however, such as *òran* (*a* as in English *cat*).

3 *ann*
Before *nn* and *ll*, *a* stands for a combination of the sounds *a* and *oo*.

à *càr*
à is pronounced like *a* in English *car*.

ai   1 *baile*
      ai is sometimes pronounced like *a* in English *cat*.

      2 *faicinn*
      It can also stand for *e* as in English *get*.

      3 *cofaidh*
      ai may also be pronounced *ee* as in English *meet*, especially in
      the combinations *-aidh* and *-aigh* at the end of words.

ao   *aon*
      ao represents a sound akin to *oeu* as in French *oeuf*.

e, ei 1 *De*
       e stands for *e* as in English *get*.

       2 *le, leis*
       In some words, *e* or *ei* may stand for *a* as in English *date*.

       3 *duine*
       In syllables other than the first, in other words when it is not
       stressed, *e* is pronounced like the second vowel in English
       mother.

é   *Dé*
      The letter *é* is pronounced *ai* as in English *pain*.

ea   1 *fear*
      ea is sometimes pronounced *e* as in English *get*.

      2 *ceart*
      It can also stand for *a* as in English *cat*.

      3 *feasgar*
      Occasionally, *ea* is pronounced *a* as in English *date*.

      4 *seall*
      Before *ll* and *nn*, *ea*, like *a*, represents a combination of *a* and *oo*.

eu   *feumaidh*
      eu in this word is pronounced like *ai* in English *pain*.

      ceud
      eu in this word is pronounced like *ea* in English *fear*.

èa   *brèagha*
      èa is pronounced like *ea* in Standard English (Received
      Pronunciation) *hear*.

i *ri*
The letter *i* is usually pronounced like *ee* in English *meet*, but shorter.

ì *sgìth*
The letter *ì* is pronounced *ee* as in English *wee*.

ia *iarraidh*
ia is pronounced like *ea* in English *fear*.

io 1 *sios*
io may be pronounced like *ea* in English *fear*.

2 *briogais*
It can also stand for *ee* as in English *meet*, but shorter.

o *dona*
The letter *o* is usually pronounced like *o* in English *cot*.

coma
In a few words, *o* is pronounced like *oa* in English *coat*.

ò *òl*
The letter *ò* is pronounced like English *awe*.

ó *có*
The letter *ó* is pronounced *oa* as in English *moan*.

u 1 *uisge*
The letter *u* is usually pronounced *oo* as in English *root*.

2 *lugha*
It is occasionally pronounced like *u* in English *cunning*.

ù *cù*
The letter *ù* is pronounced *oo* as in *woo*.

ua *fuar*
ua is pronounced like *ooe* in English *wooer*.

Consonants

Letters which are pronounced nearly the same in Gaelic and English are not included.

b *obair*
Before a vowel, *b* is pronounced like *p* in English *tap*.

bha
At the beginning of a word, *bh* is pronounced *v* as in English *van*. Elsewhere it is usually silent, eg. *robh*.

c *ceithir*
The letter *c*, when followed by *e* or *i*, is pronounced *c* as in English *cute*.

siùcar
After a vowel, *c* has aspiration – or *ch* – *before* it.

ochd
chd is pronounced *ch K* as in English *Loch Katrine*.

cnatan
cn is pronounced *cr* as in English *crow*.

d *doras*
At the beginning of a word, when it comes before *a, o* or *u*, the letter *d* is pronounced similar to *d* in English *door*.

deoch
At the beginning of a word, when it is followed by *e* or *i*, *d* is pronounced like *j* in English *jet*.

fad
The letter *d*, when it comes before *a, o* or *u*, is pronounced similar to *t* as in English *fat*.

cuideachd
The letter *d*, when it comes after *i*, is pronounced like *ch* in English *chew*.

dh'òl
dh, before and after *a, o* and *u*, is a *voiced* or *harder* version of *ch*. It is a difficult sound which should be listened to carefully on the programmes and discs/cassettes. In the middle of a word, it is often silent, however, eg. *feadhainn*.

dhèanamh
dh, when followed by *e*, is pronounced *y* as in English *yet*. It is occasionally silent, however, especially after *i*, eg. *òlaidh*.

f *feòil*
The letter *f*, when followed by *e*, is pronounced like *f* in English *few*.

(an) fheòil
fh is usually silent, but in a few words in pronounced *h* as in English *house*, eg. *fhéin, fhathast, fhuair*.

g *gabh, ged*
At the beginning of a word, *g* is pronounced like English *g*, eg. *got, get*.

fàg, leig
The letter *g*, when it comes after a vowel, is pronounced like *ck* in English *lock, lick*.

gh *ghabh*
When it comes before or after *a*, *o* or *u*, *gh* is pronounced like *dh*: see *dh'òl*. It may help you to pronounce this sound if you remember that the difference between it and *ch* is similar to that between *g* and *c*.

After *i*, *gh* is sometimes pronounced *y*, eg. *taigh*, but may also be silent, eg. *dhachaigh*.

l *càil, le*
When it comes after *i* and, occasionally, before *e*, the letter *l* is pronounced like *l* in English *let*.

leabhar, tuilleadh
Before *e* at the beginning of a word, the letter *l* is usually pronounced like *ll* in English *million*: *ll*, when coming after *i*, is pronounced similarly.

latha, òl, balla
When they come before or after *a*, *o* or *u*, both *l* and *ll* are pronounced *broad* or *dark* as demonstrated on the programme and discs/cassettes.

n *can,*
When it comes after *a*, *o* or *u*, the letter *n* is usually pronounced like *n* in English *not*.

nighean, bainne, cuin
The letter *n* when it comes before *e* or *i* at the beginning of a word, is pronounced like *n* in English *union*: *n* and *nn* after *i*, are pronounced similarly.

naoi, ann
When it comes before *a*, *o* or *u*, the letter *n* is usually pronounced *broad* or *doubled*. The same applies to *nn* after *a*, *o* or *u*.

p *cupa*
When it comes *before* a vowel, *p* has aspiration *before* it.

(a') phacaid
ph is pronounced *f* as in English *for*.

r *cur*
The letter *r* after *a*, *o* or *u*, is pronounced like *r* in English *door*.

iarraidh
Rr is pronounced like *rr* in English *earring*. In other words, a *rolled* 'Harry Lauder' type *r*.

cuir
The letter *r*, before and after *i*, is pronounced *soft* like *r* in English *tree*.

bòrd
Rd is pronounced like *rt* in English *court.*

ceart
Rt is pronounced *rst* as in English *worst.*

s   *seo, ais*
When it comes before *e* or *i* and after *i*, the letter *s* is pronounced *sh* as in English *shop.*

shuidh
Sh when it comes before *a, o* or *u*, is pronounced *h* as in English *horse.*

(mo) sheacaid
Sh when it comes before *e*, is pronounced like *ch* in Scots *dreich.*

t   *taigh*
At the beginning of a word, when it is followed by *a, o* or *u, t* is pronounced similar to *t* as in English *top.*

tighinn
At the beginning of a word, when it is followed by *e* or *i*, the letter *t* is usually pronounced like *ch* in English *chew.*

cat, litir
Other than at the beginning of a word, the letter *t* has aspiration *before* it. Otherwise, it is pronounced as in *taigh* or *tighinn*, according to what vowel comes before and after it.

tha
At the beginning of a word, *th* is usually pronounced *h* as in English *house.* Otherwise, it is usually silent, eg. *sgith.* An important exception is *thu*, where the *th* is silent.

Some of the recent alterations to the traditional spelling of Gaelic have been incorporated in *Can Seo*, but some of the traditional forms have been used where it was felt that this would be an aid to the learner of Gaelic.

Summary of grammar

Some of the more important points of grammar given in the programmes and in the rest of the book.

Aspiration

'Aspiration' or 'lenition' is a distinctive feature of Gaelic grammar. It consists of a change in the first consonant of a word. This is shown in writing by putting the letter 'h' after the consonant. In speech, the changes take a variety of forms. These are demonstrated on the programmes and the discs/cassettes.

Note: Words beginning with sg, sm, sp, st are never aspirated and aspiration is never shown in writing with l, n, r.

Aspiration has some important functions in Gaelic grammar, eg. in forming the past tense of regular verbs. Aspiration also follows some words such as MO 'my' and DA 'two'.

The abbreviation 'asp.' is used in the summary for aspiration.

Sentence structure

The verb in Gaelic always comes before the subject, eg. 'Tha mi sgìth.'

Yes and no

There are no words for 'yes' and 'no' in Gaelic: instead the verb used in a question is repeated in the answer, with a negative prefix before it, where appropriate.

The verb

Remember the 'imperative' (the 'ordering') form of the verb and any of the other tenses can be worked out from it, following a few simple rules.

The simple *past* tense has aspiration of the first consonant (or *dh'* before vowels and F').

Eg. *cuir* ≫ *chuir*; *fàg* ≫ *dh'fhàg*.

After *an?* (question), *cha* (negative), *nach?* (negative question), *càite* (where?), *gun* ('that'), the past tense has DO before the verb.

Eg. *cuir* ≫ *an do chuir?*

The simple *future* is formed, starting from the imperative, by adding -*idh* or -*aidh*. Eg. *cuir* ≫ *cuiridh; òl* ≫ *òlaidh.*

After *an?* (question), *cha* (negative; *chan* before vowels and 'f'), *nach?* (negative question), *càite?* (where?), *gum/gun* ('that'): the future has no ending.

Eg. *cuir* ≫ *an cuir?* But note: *cha chuir.*

After *carson a?* (why?), *ciamar a?* (how?), *có?* (who?), *cuin a?* (when?), *dé?* (what?), *ma* ('if'), *nuair a* ('when'), *a* (which, who, that): the future has aspiration at the beginning and an -AS or -EAS ending.

Eg. *cuir* ≫ *dé chuireas?*

The *present tense* of the regular verb is formed by using the verb 'to be' along with the 'verbal noun', eg. *Tha mi ag obair* 'I am working'. The future and the past of the verb 'to be' may be used with the verbal noun to make up 'continuing action' tenses (compare English 'I was making' as distinct from 'I made').

Eg. *Bha mi ag obair; bidh mi ag obair.*

Verbal nouns

The 'verbal noun' is preceded by *a'* ar *ag* (where the verb begins with a vowel). A noun coming after it is usually in the genitive, especially if the word for 'the' is used.

In the case of 'pronoun objects', the 'verbal noun' is preceded by *ga mo* or *gam* (before vowels and 'f'), *ga do* or *gad*, etc. A table of these forms appears below.

The verb 'to be'

The *present tense* of the verb 'to be' has three different forms: *Tha; a bheil?* (question); *chan eil* negative. *Bheil* is also used after *nach?* (negative question), *càite?* (where?), *gu* ('that').

The *past tense* of the verb 'to be' has two different forms: *bha* (corresponding to *tha*), and *robh* (corresponding to *eil/bheil*).

The *future* of the verb 'to be' has three different forms:

a   *Bi* corresponding to *bheil* and *robh*;
b   *Bhitheas/bhios* after *carson a?* (why?), *ciamar a?* (how?), *có?* (who?), *cuin a?* (when?), *dé?* (what?), *ma* (if), *nuair a* ('when'), *a* (who, which, that);
c   *Bithidh/bidh*, the simple 'statement' form.

Nouns

All nouns in Gaelic are either 'masculine' or 'feminine'. The genitive of the noun is formed by changing the last consonant and occasionally the last vowel as described in Chapter 13, eg. *siùcar* ≫ *siùcair.*

The plural is formed in three main ways, as in these examples:

a   *Bròg* ≫ *brògan;*
b   *cat* ≫ *cait;*
c   *Càr* ≫ *càraichean* (see Chapter 7).

Note: The plurals of all the nouns are given in *Na faclan* (page 118).

The definite article

The word for 'the' in Gaelic takes a variety of forms depending on the gender, first letter and grammatical case of the noun. Generally feminine nouns (singular) are aspirated after 'the' masculine nouns are not: eg. *A' bhùth, am balach.*

All of the nouns in *Na faclan* (page 118) are given with the definite article.

The genitive masculine form of the article is *a'* (with asp.), the genitive feminine form is *na/na h-* (before vowels).

Eg. *(Còta) a' bhalaich, (fad) na h-oidhche.*

After most 'simple' prepositions, the article takes the form *a'* (with asp.) or *'n* (with asp.), both with masculine and feminine nouns.

Eg. *Aig a' chéilidh, do'n bhùth.*

(*Note:*   nouns beginning with T, D, F and, of course, vowels are exceptions.)

The plural of the definite article is *na/na h-* (before vowels).

Eg. *na cait, na h-adan.* The form *nan* is sometimes used with the genitive plural.

Adjectives

Adjectives are aspirated after feminine nouns in the singular, but only where the adjective is directly attached to the noun. (Compare: English 'a big shop' as distinct from 'the shop is big').

Eg. *Bùth mhór.*

In the plural, one-syllable adjectives may have an *-a/-e* ending. The adjective is aspirated after plurals of the type – *Cat* ≫ *cait,* but not after the type *Bròg* ≫ *brògan* or *Càr* ≫ *càraichean.*

Eg. *Cait dhubha.*

If a simple preposition is used with article and noun (masculine or feminine) any following adjective is usually aspirated.

Eg. *'Anns a' bhaile mhór.'*

The equivalent of both the *'-er'* and *'-est'* forms of the adjectives in English eg. newer, newest, is formed usually by changing the pronunciation of the last consonant and adding *-e*, eg. *ùr* ≫ *uire*. This has either *nas* or *as* before it, depending on whether the sentence is of the *tha* . . . . . . or the *'se* . . . . . type.

Eg *Tha seo nas ùire na sin; 'se seo as ùire.*

Pronouns

mi *(se)*	sinn *(e)*	mo *(+asp.)*	ar
thu *(sa)*	sibh *(se)*	do *(+asp.)*	ur
e *(san)*	iad *(san)*	a *(+asp.)*	an, am
i *(se)*		a	

		air	
ga mo/gam *(+asp.)*	gar	orm	oirnn
ga do/gad *(+asp.)*	gur	ort	oirbh
ga *(+asp.)*	gan	air	orra
ga	gam	oirre	

aig		**ri**	
agam	againn	rium	ruinn
agad	agaibh	riut	ruibh
aige	aca	ris	riutha
aice		rithe	

do		**le**	
dhomh	dhuinn	leam	leinn
dhut	dhuibh	leat	leibh
dha	dhaibh	leis	leotha
dhi		leatha	

de	
dhiom	dhuinn
dhiot	dhibh
dhe/dheth	dhiùbh
dhi	

Irregular verbs

Imperative	Past	Future	'Verbal Noun'
can	thubhairt	canaidh	a' ràdh
cluinn	chuala	cluinnidh	a' cluinntinn
dèan	rinn	nì	a' dèanamh
faic	chunnaic	chì	a' faicinn
faigh	fhuair	gheibh	a' faighinn
theirig	chaidh	théid	a' dol
thig	thàinig	thig	a' tighinn
thoir	thug	bheir	a' toirt

Note: This extended table of verbs is given in the expectation that you will want to add to what you have learned from *Can Seo.*

Na lathaichean

Di-Dòmhnaich/
Latha na Sàbaid   *Sunday*
Di-luain   *Monday*
Di-màirt   *Tuesday*

Di-ciadain   *Wednesday*
Di-ardaoin   *Thursday*
Di-haoine   *Friday*
Di-sathurna   *Saturday*

Aireamhan

1 *Aon*   2 *dà/a dhà*   3 *trì*   4 *ceithir*   5 *cóig*   6 *sia*
7 *seachd*   8 *ochd*   9 *naoi*   10 *deich*   11 *aon deug*
12 *a dhà dheug/dà dheug*   13 *trì deug*   20 *fichead*
21 *aon ar fhichead*   31 *aon deug ar fhichead*   40 *dà fhichead*   41 *dà fhichead agus aon*   50 *lethcheud*
60 *trì fichead*   100 *ceud*   1000 *mìle*

Aitichean

A' Chuimrigh   *Wales*
A' Fhraing   *France*
Alba   *Scotland*
Ameireaga   *America*
An Spàin   *Spain*
An Tairbeart   *Tarbert*
An t-Eilean Sgitheanach
Isle of Skye
An Gearasdan   *Fort William*
An t-Oban   *Oban*
Bàgh a' Chaisteil   *Castlebay*
Barraigh   *Barra*
Beinn na Faghla   *Benbecula*
Bogha-mór   *Bowmore*
Colla   *Coll*
Dun Eideann   *Edinburgh*
Eire/Eirinn   *Ireland*

A' Ghearmailt   *Germany*
Glaschu   *Glasgow*
Ile   *Islay*
Inbhir-Nis   *Inverness*
Leódhas   *Lewis*
Lunnain   *London*
Na Hearadh   *Harris*
Obar Dheadhainn   *Aberdeen*
Peairt   *Perth*
Portrìgh   *Portree*
Sasainn   *England*
Steòrnabhagh   *Stornoway*
Tiriodh   *Tiree*
Uibhist   *Uist*

Key to exercises

Pàirt Aon/Part One

1 Tha mi ag iarraidh uisge. Tha mi ag iarraidh cofaidh. Tha mi ag iarraidh bainne. Tha mi ag iarraidh uisge-beatha. Tha mi ag iarraidh chocolate. Tha mi ag iarraidh lager. Tha mi ag iarraidh brot. Tha mi ag òl. Tha mi ag òl uisge. Tha mi ag òl cofaidh. Tha mi ag òl bainne. Tha mi ag òl uisge-beatha. Tha mi ag òl lager. Tha mi a' dèanamh cofaidh. Tha mi a' dèanamh brot. Tha mi ag obair. (Repeat with 'thu' and 'Iain'.)

2 **a** Tha mi ag iarraidh cofaidh. **b** Tha mi ag iarraidh cofaidh. Tha mi ag iarraidh bainne. Tha mi ag iarraidh chocolate. **c** Tha mi ag iarraidh uisge. Tha mi ag iarraidh cofaidh. Tha mi ag iarraidh bainne. Tha mi ag iarraidh brot. **d** Tha mi ag iarraidh uisge-beatha. Tha mi ag iarraidh lager.

3 **a** Tha mi ag obair. **b** Chan eil càil. **c** Tha mi ag òl uisge. **d** Tha mi a' dèanamh cofaidh.

4 **a** Dé tha thu a' dèanamh? **b** Ciamar a tha thu? **c** Dé tha thu ag iarraidh? **d** Dé tha thu ag òl?

5 Tha gu math. Dé tha thu a' dèanamh? Dé tha thu ag òl? Tha mi ag iarraidh.

Pàirt A dhà/Part Two

1 A bheil thu ag obair? Tha; tha mi ag obair. Chan eil; chan eil mi ag obair. A bheil thu fuar? Tha; tha mi fuar. Chan eil; chan eil mi fuar. A bheil thu ag òl cofaidh? Tha; tha mi ag òl cofaidh. Chan eil; chan eil mi ag òl cofaidh. A bheil thu sgìth? Tha; tha mi sgìth. Chan eil; chan eil mi sgìth. A bheil thu ag iarraidh bainne? Tha; tha mi ag iarraidh bainne. Chan eil; chan eil mi ag iarraidh bainne. (And repeat with 'e', 'i'). A bheil an cofaidh

fuar? Tha; tha an cofaidh fuar. Chan eil; chan eil an cofaidh fuar.
A bheil an cofaidh teth? Tha; tha an cofaidh teth. Chan eil;
chan eil an cofaidh teth. A bheil an cofaidh math? Tha; tha an
cofaidh math. Chan eil; chan eil an cofaidh math. (Repeat with
'am biadh', 'am brot').

2 a   Chan eil; chan eil Iain ag obair idir an-diugh.   b   Tha
Iain agus Màiri ag òl cofaidh.   c   Chan eil; chan eil an
cofaidh fuar (idir).   d   Tha; tha Iain ag iarraidh bainne agus
siùcar.   e   Tha; tha an cofaidh math.

3 a   Tha; tha mi sgìth.   b   Chan eil; chan eil mi ag obair.
c   Chan eil; chan eil mi fuar (idir).   d   Chan eil; chan eil mi
ag òl uisge-beatha.   e   Tha; tha mi ag òl cofaidh.

4 a   Tha e ag obair. Tha e a' dèanamh brot.   b   Chan eil; chan
eil am brot math idir.   c   Tha; tha Tormod a' falbh.

Pàirt Trì/Part Three

1   A bheil siùcar air a' bhòrd? Tha; tha siùcar air a' bhòrd. Chan
eil; chan eil siùcar air a' bhòrd. A bheil siùcar anns a' chofaidh?
Tha; tha siùcar anns a' chofaidh. Chan eil; chan eil siùcar anns a'
chofaidh. A bheil siùcar anns a' bhùth? Tha; tha siùcar anns a'
bhùth. Chan eil; chan eil siùcar anns a' bhùth. A bheil bainne air
a' bhòrd? Tha; tha bainne air a' bhòrd. Chan eil; chan eil bainne
air a' bhòrd. A bheil bainne anns a' chupa? Tha; tha bainne anns
a' chupa. Chan eil; chan eil bainne anns a' chupa. A bheil bainne
anns a' chofaidh? Tha; tha bainne anns a' chofaidh. Chan eil;
chan eil bainne anns a' chofaidh. A bheil bainne anns a' bhùth?
Tha; tha bainne anns a' bhùth. Chan eil; chan eil bainne anns a'
bhùth. A bheil Iain aig a' chéilidh? Tha; tha Iain aig a' chéilidh.
Chan eil; chan eil Iain aig a' chéilidh. A bheil Iain anns a' bhàr.
Tha; tha Iain anns a' bhàr. Chan eil; chan eil Iain anns a' bhàr.
A bheil Iain anns a' bhùth? Tha; tha Iain anns a' bhùth. Chan
eil; chan eil Iain anns a' bhùth. ('e', 'i': repeat as for 'Iain'). A
bheil am biadh air a' bhòrd? Tha; tha am biadh air a' bhòrd.
Chan eil; chan eil an biadh air a' bhòrd. A bheil am brot air a'
bhòrd? Tha; tha am brot air a' bhòrd. Chan eil; chan eil am brot
air a' bhòrd.

2 a   Tha.   b   Tha.   c   Chan eil.   d   Tha.   e   Chan eil.

3   Tha siùcar air a' bhòrd. Tha bainne air a' bhòrd. Tha cupa air a'
bhòrd.

4 a   Tha Seumas anns a' bhàr.   b   Tha an céilidh anns a' bhàr.
c   Tha Seumas a' seinn aig a' chéilidh.   d   Chan eil.
e   Tha Seònaid ag obair.   f   Tha i ag obair anns a' bhùth.

Pàirt Ceithir/Part Four

1 a Bùth mhath; biadh math; briogais mhath; céilidh math;
nighean mhath; latha math; oidhche mhath.   b Uisge fuar;
cofaidh fuar; feòil fhuar; bainne fuar; oidhche fhuar; latha fuar.
c Càr brèagha; nighean bhrèagha; latha brèagha; bòrd
brèagha; oidhche bhrèagha; briogais bhrèagha.

2 a Tha; tha cofaidh agam.   b Chan eil; chan eil am biadh
math.   c Chan eil; chan eil a' bhriogais brèagha.   d Tha;
tha brot agam.   e Tha; tha uisge-beatha agam.   f Chan
eil; chan eil an càr agam math.   g Tha; tha a' bhùth math.

3 Tha latha math ann. Tha mi ag iarraidh cofaidh dubh. Có tha a'
seinn? Nighean bhrèagha? Chan eil fhios agam.

Pàirt Cóig/Part Five

1 a Tha mi ag iarraidh bainne–cofaidh–biadh–siùcar–feòil–feòil
fhuar–tì–salainn.   b Tha mi ag iarraidh còta–briogais–
bonaid–seacaid.   c Tha mi ag iarraidh bainne–cofaidh–
uisge–uisge-beatha–brot–biadh–siùcar–cupa–paipear–feòil–
lager–salainn–spàin.

2 Tha–chan eil, throughout.

3 a Cha toigh I'.   b 'S toigh I'.   c Cha toigh I'.   d 'S
toigh I'.   e 'S toigh I'.   f 'S toigh I'.   g 'Cha toigh I'.

4/5 'S toigh I'–Cha toigh I' throughout.

Pàirt Sia/Part Six

1 a Bha Tormod ag obair anns a' bhùth an-dé.   b Bha; bha
e sgìth.   c Bha Iain agus nighean bhrèagha anns a' bhùth.
d Bha Iain ag iarraidh briogais ùr agus bha an nighean
ag iarraidh còta dubh.   e Bha an nighean aig a' chéilidh
an-raoir.   f Bha i a' seinn.   g Bha an nighean a'
gabhail biadh anns a' *chafe* – bha i a' gabhail feòil fhuar agus
salad agus ag òl bainne.   h Chunnaic Tormod an nighean
anns a' chàr aig Iain nuair a bha e a' tighinn dhachaigh a-nochd.
i 'S toigh le Tormod an nighean.   j Cha toigh le Tormod
Iain idir.

2 a Bha–cha robh.   b Bha mi ag obair–ag òl uisge-beatha
etc.   c Bha–cha robh.   d Bha–cha robh.   e Bha–cha
robh.   f Bha–cha robh.   g Chunnaic mi Oighrig,
Mairead . . . . . .

3   'Ciamar a tha thu?' 'Mise Iain.' 'Bidh mise an seo a
    h-uile oidhche.' 'Cha bhi mi ag òl idir.' 'Tha mi a' falbh
    dhachaigh.' 'Bithidh.' 'Oidhche mhath leat fhéin.'

4   Bithidh–cha bhi.

Pàirt Seachd/Part Seven

1   Tha am brot lethcheud sgillin. Tha feòil fhuar dà not. Tha an
    cofaidh dà fhichead sgillin. Tha na briosgaidean deich sgillin.
    Tha am biadh trì notaichean.

2   a   Aon chòta, dà chòta, ceithir còtaichean.   b   Dà
    bhriosgaid, deich briosgaidean.   c   Aon chupa, cóig
    cupannan.   d   Aon bhòrd, trì bùird.

3   a   Trì uairean.   •b   Naoi uairean   c   Cóig mionaidean an
    deidh a ceithir.   d   Deich mionaidean gu (a) sia.
    e   Lethuair an deidh a h-ochd.   f   Cairteal an deidh a deich.

4   a   Tha ceithir cupannan air a' bhòrd.   b   Tha trì còtaichean
    anns a' bhùth.   c   Tha cóig nigheanan (a' seinn) aig a'
    chéilidh.

Pàirt Ochd/Part Eight

1   a   Ghabh; cha do ghabh.   b   Dh'òl; cha do dh'òl.
    c   Chuir; cha do chuir.   d   Dh'fhàg; cha do dh'fhàg.
    e   Shuidh; cha do shuidh.   f   Dh'fhalbh; cha do dh'fhalbh.

2   a   An do dh'fhàg mi . . . .   b   Dh'fhàg mi . . . .
    c   Dh'òl e . . . .   d   An do ghabh sibh . . . .
    e   Shuidh Dòmhnall . . . .   f   An do chuire
    . . . .   g   Chuir mi . . . .

3   a   Thàinig Iain (a-staigh).   b   Chuir e air an solas.
    c   Cha do rinn e cofaidh.   d   Chuir e an cupa tì air a' bhòrd.
    e   Shuidh Iain aig a' bhòrd.   f   Cha do chuir e bainne anns
    an tì.   g   Chuir e siùcar – trì spàinean – anns an tì.
    h   Nuair a ghabh e an tì, chuir Iain air còta, chuir e dheth an
    telebhisean agus chaidh e a-mach.

4   Bha mi ag obair an-diugh. Dh'fhàg mi an taigh aig deich
    mionaidean gu a h-ochd. Bha mi trang. Bha mi uabhasach sgìth.
    Thàinig mi dhachaigh aig cairteal an deidh a cóig. Chuir mi
    dhiom mo sheacaid. Shuidh mi sios. Chuir mi air an telebhisean.
    Cha robh e math idir. Chuir mi dheth e. Ghabh mi biadh – feòil
    fhuar. Rinn mi cofaidh. Cha robh bainne agam idir. Ghabh mi
    cofaidh dubh. Chaidh mi a-mach aig lethuair an deidh a seachd.
    Bha mi anns a' bhàr gu deich uairean. Bha mi ag òl leann.

Pàirt Naoi/Part Nine

John: Will you give me food? *Norman:* Why? *John:* I am hungry. *Norman:* I am sorry, I can't. *John:* Why? *Norman:* I don't have (any) food, I am afraid. *John:* I am leaving. *Norman:* I am leaving too. *John:* Why? *Norman:* I am hungry too.

2 a Tha mi duilich: chan eil an t-acras orm idir. **b** Chan urrainn dhomh. **c** Cha toigh leam idir e, tha eagal orm.

3 a An toigh leat a' bhriogais ùr dhearg agam? **b** A bheil thu ag iarraidh tuilleadh buntàta! **c** An toir thu dhomh siùcar? **d** Fuirich còmhla rium mionaid.

Pàirt Deich/Part Ten

1 a Cha do ghabh. **b** Chan eil. **c** 'S toigh l'. **d** Bha.
e Chan eil. **f** Dh'fhàg. **g** Chan urrainn. **h** Tha.
i Bithidh.

2 SEUMAS   Hallo, Donald. How are you?
   DOMHNALL   I'm well, thanks. How are you (yourself)?
   SEUMAS   Not bad. Come in.
   DOMHNALL   All right.
   SEUMAS   Give me your coat.
   DOMHNALL   I'm cold.
   SEUMAS   But it's warm in here.
   DOMHNALL   All right. Here.
   SEUMAS   What's doing?
   DOMHNALL   Nothing fresh.
   SEUMAS   Were you busy today?
   DOMHNALL   Yes, I was very busy today. I was working on the boat till five o'clock and, in the evening, when I'd had my food, I was working on the car with John.
   SEUMAS   Where did you have your food tonight?
   DOMHNALL   In the cafe.
   SEUMAS   Was it good?
   DOMHNALL   It wasn't bad.
   SEUMAS   What did you have?
   DOMHNALL   I had soup and meat and potatoes. The soup was cold and there wasn't enough salt on the potatoes. But it wasn't bad.
   SEUMAS   Do you have your food in the cafe often?
   DOMHNALL   Yes – every day. But . . . . do you know who I saw in the cafe yesterday.
   SEUMAS   No. Who?
   DOMHNALL   Norman.
   SEUMAS   O, how is he?
   DOMHNALL   He's fine. He has a lovely big car.

SEUMAS	Where is he living now?
DOMHNALL	He's living in Glasgow. He's working there.
SEUMAS	What does he do?
DOMHNALL	I don't know.
SEUMAS	I was at your house last night but you weren't in.
DOMHNALL	No.
SEUMAS	Where were you?
DOMHNALL	I was in the bar.
SEUMAS	Were you drinking?
DOMHNALL	Well . . . . . I had two pints of beer. But I wasn't drinking whisky (at all).
SEUMAS	What was doing in the bar last night?
DOMHNALL	There was a ceilidh (there).
SEUMAS	O? Who was singing at the ceilidh?
DOMHNALL	Mary and John.
SEUMAS	Mary? A nice-looking girl?
DOMHNALL	She's quite nice-looking.
SEUMAS	With black trousers?
DOMHNALL	Black trousers and a black coat.
SEUMAS	Does she work in the shop?
DOMHNALL	No: she *did* work in the shop, but she works in the cafe now.
SEUMAS	I know. I saw her there on Saturday. Is she good at singing?
DOMHNALL	She isn't bad. She was singing with John. They were quite good.
SEUMAS	Is there a ceilidh in the bar every night?
DOMHNALL	Yes. But I don't go there often. I'm too busy.
SEUMAS	When did you come home last night?
DOMHNALL	(I came) at half past eleven.
SEUMAS	Was John at the ceilidh?
DOMHNALL	Yes. He was drunk. They put him out. He was singing too loudly.
SEUMAS	Was Catherine there?
DOMHNALL	No. But I saw her when I was coming here tonight.
SEUMAS	I like Catherine. She's nice-looking.
DOMHNALL	Yes . . . . but she's going with John. Did you know?
SEUMAS	No. Och well . . . . . do you want a cup of tea?
DOMHNALL	Do you have (any) coffee?
SEUMAS	Yes, I've plenty of coffee. Do you want coffee?
DOMHNALL	Yes, thanks.
SEUMAS	Do you take sugar in (the) coffee?
DOMHNALL	Yes. Three spoonfuls.
SEUMAS	Milk?
DOMHNALL	No: give me black coffee.
SEUMAS	You weren't drinking whisky last night!
DOMHNALL	Indeed I wasn't. But I like black coffee.
SEUMAS	Do you want a meat sandwich (with meat)? I have (some) cold meat.

DOMHNALL	No thanks. I'm not hungry.
SEUMAS	Do you want a biscuit?
DOMHNALL	Yes. I like these biscuits.
SEUMAS	Here is your coffee.
DOMHNALL	Thanks. Oh, it's hot.
SEUMAS	Don't put it on that table. Put it here.
DOMHNALL	All right. Will you give me a spoon?
SEUMAS	I'm sorry. Here you are. Where were you on Saturday?
DOMHNALL	I was out with Mary on Saturday.
SEUMAS	O? With Mary? Where were you?
DOMHNALL	We were out for dinner (at food) in the hotel.
SEUMAS	Was that good?
DOMHNALL	It was very good. And I took (put) her home.
SEUMAS	In your car?
DOMHNALL	In my car. And we had a cup of coffee in Mary's house.
SEUMAS	Was that good?
DOMHNALL	Well . . . . . . the coffee was good.
SEUMAS	Ah . . . . . . I know. You put off the light, did you?
DOMHNALL	No.
SEUMAS	And you put on a record . . . . . .
DOMHNALL	No.
SEUMAS	You put off your jacket.
DOMHNALL	No.
SEUMAS	. . . . whisky. And – 'Come here, Mary . . . . .' I know!
DOMHNALL	You don't. We had one cup of coffee and I went away home. In my car. By myself.
SEUMAS	Ah, well . . . . . You've a new pair of trousers.
DOMHNALL	Yes, I saw them in the shop today. Do you like them?
SEUMAS	I do. They're nice. How much did they cost?
DOMHNALL	They were £20.60.
SEUMAS	That wasn't bad.
DOMHNALL	No indeed.
SEUMAS	Do you want more coffee?
DOMHNALL	No, thank you. That was enough. But, look at the time – it's ten to eleven. I'm going.
SEUMAS	Wait a minute.
DOMHNALL	I can't.
SEUMAS	Why?
DOMHNALL	I'm very tired.
SEUMAS	How are you going home? Do you have the car?
DOMHNALL	No. I left it at home. I'm going home on the bus. But, I don't have a penny, I'm afraid. I left my purse at home. Will you give me 50 pence.
SEUMAS	All right. Here you are.
DOMHNALL	Thanks.
SEUMAS	And here's your coat. Will you be in tomorrow?

DOMHNALL	Yes.
SEUMAS	Very well. I'll see you tomorrow.
DOMHNALL	All right. But I'll be going out at eight o'clock.
SEUMAS	OK. Goodnight.
DOMHNALL	Goodnight (to you).

Pàirt Aon deug/Part Eleven

1
 a Tha e a' ràdh gu bheil e sgìth.
 b Tha e a' ràdh gun do dh'fhàg e cóig notaichean an seo.
 c Tha e a' ràdh gu bheil am biadh air a' bhòrd.
 d Tha e a' ràdh gu robh a' bhriogais dhubh sin fichead not.
 e Tha e a' ràdh gu robh e trang an-dé.
 f Tha e a' ràdh gum bi e an seo a h-uile oidhche aig deich mionaidean gu cóig.
 g Tha e a' ràdh gun do chuir e air an telebhisean.
 h Tha e a' ràdh gu bheil an t-acras air.

2
 a Tha mi a' smaoineachadh gu bheil e sgìth.
 b Tha mi a' smaoineachadh gun do dh'fhàg e cóig notaichean an seo.
 c Tha mi a' smaoineachadh gu bheil am biadh air a' bhòrd.
 d Tha mi a' smaoineachadh gu robh a' bhriogais dhubh sin fichead not.
 e Tha mi a' smaoineachadh gu robh e trang an-dé.
 f Tha mi a' smaoineachadh gum bi e an seo a h-uile oidhche aig deich mionaidean gu cóig.
 g Tha mi a' smaoineachadh gun do chuir e air an telebhisean.
 h Tha mi a' smaoineachadh gu bheil an t-acras air Alasdair.

3 Tha e a' ràdh gu bheil. Chan eil mi a' smaoineachadh gu bheil. Tha mi a' smaoineachadh gu robh. Tha e a' ràdh gum bi. 'S dòcha gum bi.

4
 a 'Chan fhaod' throughout.
 'Faodaidh' throughout.

Pàirt A dhà dheug/Part Twelve

1
 a Cuiridh. Cuiridh. Cuiridh. Fosglaidh. Dùinidh. Innsidh. Suidhidh.
 b Cha chuir (three times). Chan fhosgail. Cha dhùin (also 'cha dùin). Chan innis. Cha shuidh.

2 Théid Iain do'n bhùth aig sia uairean agus chì e Tormod. Bidh Tormod trang anns a' bhùth. Nuair a bhios Tormod deiseil, thig e fhéin agus Iain dhachaigh anns a' chàr aig Tormod Nì e fhéin agus Iain biadh brot, feòil agus buntàta –

agus gabhaidh iad e. Nuair a dh'òlas iad cupa cofaidh, théid iad a-mach. Théid iad do'n bhàr agus bidh oidhche mhór ann.

3   An dùin mi . . . . Cha dhùin (or Cha dùin). Ma chuireas mi dhiom mo chòta. Cuiridh mi a-staigh an seo e. An gabh thu uisge-beatha? Cha ghabh. Dé ghabhas tu? Gabhaidh mi cofaidh. Innsidh mi dhut.

Pàirt Trì deug/Part Thirteen

1   An taighe. Fad an latha. A' glanadh na h-uinneig. Fad an fheasgair. A' gabhail a' chofaidh. A' cur na briosgaid. Fear na bùth(a). Nighean Dhòmhnaill. A' dùnadh an dorais. Ag iarraidh a' chàir. Chun a' chéilidh. Ag iarraidh (càr/càir). Ri taobh a' bhàir. A' glanadh na seacaid dhubh agus a' chòta. Cupa siùcair. Fad na h-oidhche. A' glanadh an taighe.

2   a   Chan eil: tha e fuar.   b   Tha Seumas ag obair anns a' bhùth.   c   Tha Oighrig ag iarraidh rudan anns a' bhùth.
d   Chan eil: tha i ag iarraidh pìos beag càise.   e   Chan eil.
f   Bithidh (uighean anns a' bhùth) a-màireach.   g   Tha (i ag iarraidh briosgaidean).   h   Seòrsa sam bith.   i   Bha na rudan dà not.

3   a   Botal uisge-bheatha, dà kilo siùcair, kilo feòla, dusan ugh, pacaid bhriosgaidean.
b   A' glanadh a' chàir; a' glanadh an taighe; a' glanadh na h-uinneig; a' glanadh a' chòta.

Pàirt Ceithir deug/Part Fourteen

1   c   Tha mi ga ghlanadh.   d   Tha mi ga glanadh.   e   Tha mi gan glanadh.   f   Tha mi ga dèanamh.   g   Tha mi ga dhèanamh.   h   Tha mi ga òl.   i   Tha mi ga ghabhail
j   Tha mi ga gabhail.

2   b   Tha e a' ràdh gu robh e ag obair trang an-dé.   c   Tha e a' ràdh gu robh e anns a' bhàr an-raoir.   d   Tha e a' ràdh gun do dh'òl e cus.   e   Tha e a' ràdh gum bi e a-staigh fad na h-oidhche a-nochd.   f   Tha e a' ràdh gu bheil e sgìth a' bruidhinn riut.

3   a   Tha sin ceàrr.   b   Tha sin ceàrr.   c   Tha sin ceart.
d   Tha sin ceàrr.   e   Tha sin ceart.   f   Tha sin ceart.
g   Tha sin ceart.   h   Tha sin ceàrr.   i   Tha sin ceàrr –
chan eil móran Gàidhlig aige idir.   j   Tha sin ceart.

Pàirt Cóig deug/Part Fifteen

CALUM   Hallo. I'm Calum (Malcolm).

TORMOD   I'm Tormod (Norman). How are you?

CALUM   Fine thanks. How are you (yourself)?

TORMOD   Oh, very well. Where are you from?

CALUM   I'm from Glasgow, but I'm not living there now.

TORMOD   Where are you living now, then?

CALUM   In Stornoway.

TORMOD   What are you doing there?

CALUM   I'm working on a small boat.

TORMOD   Oh? Who's working with you on the boat?

CALUM   Alastair MacLeod.

TORMOD   Alastair MacLeod? A big man?

CALUM   He's quite big.

TORMOD   I know. And are you doing well on the boat?

CALUM   We're not doing badly at all.

TORMOD   Where are you going just now?

CALUM   I'm going to the shop.

TORMOD   I'm going to the bar.

CALUM   So am I. I'll see you there.

TORMOD   Fine.

In the Shop.

ALASDAIR   Come in. It's cold today, isn't it?

CALUM   Yes indeed. You're busy.

ALASDAIR   Yes – I'm cleaning this window. But, I'm finished now, I think. What do you think?

CALUM   It's fine. What's doing?

ALASDAIR   Not much. There was no-one in today but yourself. You don't come in here often?

CALUM   No. I live in Stornoway.

ALASDAIR   And where are you from?

CALUM   I'm from Glasgow.

ALASDAIR   And you've plenty of Gaelic?

CALUM   Well, I have a little – I am learning Gaelic.

ALASDAIR   And will you be staying long in Stornoway?

CALUM   What?

ALASDAIR   Do you understand me?

CALUM   No, I'm afraid. You're speaking too fast. Say it again.

ALASDAIR   Will you be staying long in Stornoway?

CALUM   O, I'm sorry. I understand you now. I think so (I will be). I like it.

ALASDAIR   It is quite nice right enough. Well, you have good Gaelic anyway.

CALUM   I'm good enough at reading and writing Gaelic – but I'm not very good at speaking, I'm afraid.

ALASDAIR   You're not bad at all. Look at me – I speak Gaelic all day but I can't write Gaelic.

CALUM	Yes?
ALASDAIR	I can't. I write my letters in English. But anyway, what do you want?
CALUM	Do you have cheese?
ALASDAIR	Yes. There's a nice piece here – is there too much in it?
CALUM	No – that'll be all right. Now, give me a bottle of milk. And (some) butter.
ALASDAIR	This one? (kind)
CALUM	That'll be fine. And a packet of tea.
ALASDAIR	This one?
CALUM	I don't like that one, I'm afraid. Give me that one.
ALASDAIR	Fine. Here (you are).
CALUM	Thanks. Now, do you have (any) eggs?
ALASDAIR	Yes. What kind.
CALUM	The large ones.
ALASDAIR	Here (you are).
CALUM	And two packets of biscuits.
ALASDAIR	What kind?
CALUM	Any kind.
ALASDAIR	Do you like these ones?
CALUM	I'm sorry, I don't.
ALASDAIR	These ones?
CALUM	I'll take these ones – I like them. How much are these things, then?
ALASDAIR	£1.80.
CALUM	There it is.
ALASDAIR	Thanks.
CALUM	I'm going then. I'm going down to the bar now.
ALASDAIR	Are you? I'm going down myself when I (will) shut up the shop.
CALUM	When will that be?
ALASDAIR	I'll be finished here at six o'clock. If you're there at ten past six, I'll see you there, maybe.
CALUM	Very well.
ALASDAIR	Wait. I'll open the door for you.
CALUM	Thanks. Good afternoon.
ALASDAIR	Good afternoon (to you).

In the bar.

TORMOD	Hallo, you're here (it's you), Calum.
CALUM	Yes – (here).
TORMOD	What will you have. Whisky or beer?
CALUM	I'll have a whisky (a little one), I think. Thanks.
TORMOD	There you are.
CALUM	Cheers! Thanks.
TORMOD	Cheers! Who was in the shop?
CALUM	Only the man himself.

TORMOD	Alasdair. What was he doing?
CALUM	He was cleaning the window when I went in.
TORMOD	What was he saying?
CALUM	He was saying that I have good Gaelic.
TORMOD	He wasn't wrong there (at all).
CALUM	Do you smoke?
TORMOD	No.
CALUM	May I smoke?
TORMOD	O, of course you may. Go on – I don't mind.
CALUM	Is there food in this bar?
TORMOD	There isn't a lot, but there is soup, and cold meat. Are you hungry?
CALUM	I didn't have any food at one o'clock today (at all). I was too busy. O, I don't have a knife and fork. Wait a minute.

Later.

TORMOD	Is the soup good?
CALUM	Yes – but it's too hot. Do you think you could (you will) give me the salt?
TORMOD	Here (you are).
CALUM	Thanks.
TORMOD	Will you be at the ceilidh tonight?
CALUM	Is there a ceilidh tonight?
TORMOD	Yes – there's a ceilidh every Friday.
CALUM	When is it?
TORMOD	At half past seven.
CALUM	Who will be singing?
TORMOD	I don't know.
CALUM	I can't go anyway. I put the car in the garage today. Are you going yourself?
TORMOD	I don't know.
CALUM	What is on television tonight - do you know? I don't think there's anything good on. I don't like (the) television anyway.
TORMOD	Why?
CALUM	Och, well, there aren't many good things on just now. Nothing but repeats. But – I saw one good thing (on it) last night – Can Seo!

Much later.

TORMOD	Do you want another dram?
CALUM	No thanks. I drank enough – too much perhaps. I must go home now or (else) Mary won't be pleased and she'll be nagging me. We are going out at eight o'clock. What time is it anyway?
TORMOD	It's ten to eight.
CALUM	She will be nagging me!
TORMOD	She won't – if I (will) put you home in my car.

CALUM	You can't. You've had too much – you're drunk, I'm afraid.
TORMOD	No, I'm all right.
CALUM	I don't think you are. I'll have to walk. There are no buses.
TORMOD	Well, I'll go with you myself and she won't be nagging.
CALUM	All right. Come on.

Outside.

CALUM	Wait for me. You're walking too fast – I've new shoes on.
TORMOD	I'm sorry.

Later.

CALUM	Och – I've left my coat. I put it off (me) in the bar.
TORMOD	It'll be all right there till tomorrow.
CALUM	It won't – there's £5 in the coat and . . . . .
TORMOD	I know – Mary will be nagging!
CALUM	I'm going back. Wait for me. I won't be a minute.
TORMOD	I won't (wait). I'm going away home.

Later: At Calum's house.

MAIRI (Mary)	Where were you all afternoon? And all night?
CALUM	I was in the shop!
MAIRI	Until quarter past eight!
CALUM	I'm sorry. I was in the bar, I'm afraid, Mary.
MAIRI	Were you?
CALUM	Yes.
MAIRI	That's all right.
CALUM	Is it?
MAIRI	Yes.
CALUM	O?

Pàirt Sia deug/Part Sixteen

1 **b** 'Se Dòmhnall a tha a' bruidhinn ri Màiri.

  c 'Se Anna a bha ag obair anns a' chafé an-raoir.

  d 'Se Iain a bha còmhla riut nuair a chunnaic mi thu.

  e 'Se Calum a bhios/bhitheas ag obair air a' bhàta a-màireach: chan eil Alasdair gu math.

  f 'Se Tormod a bhios (bhitheas) a' coiseachd dhachaigh còmhla ri Màiri a h-uile oidhche.

  g 'Se am balach a dhùin na dorsan dhomh.

h 'Se an nighean a chuir a-mach na cait dhomh.

i 'Se an duine sin a dh'fhàg airgead air a' bhòrd anns a' bhàr.

j 'Se Iain a rinn an cofaidh ach 'se Tormod a dh'òl e.

k 'Se Iain a tha a' fosgladh na h-uinneagan agus 'se Alasdair a tha gan glanadh.

l 'Se Màiri a chunnaic mi anns a' bhùth an-dé.

m 'Se Oighrig a chuireas sin ceart.

2 a 'Se. **b** Chan e. **c** Chan e. **d** Chan e.
e 'Se. Try answering in full sentences now: eg. **a** 'Se tidsear a tha innte, etc.

3 In this order: **f** An e seo am bus a tha a' dol gu Portrìgh?
a Agus sin dà fhichead sgillin air ais. **d** 'Se gu dearbh.
b An e Hearach a tha annad? **e** Tha Iain. **c** 'Se tidsear a tha annamsa. **g** Dé an t-ainm a tha air an nighean ud?

Pàirt Seachd deug/Part Seventeen

1 a An ann air a' bhus a tha thu a' dol dhachaigh?

b An ann leatsa a tha an sporan seo?

2 a Theirig sìos an rathad seo, gabh an rathad gu do làmh cheàrr an sin, theirig sìos ri taobh a' chladaich, gabh an dàrna rathad gu do làmh cheart – tha taigh Ruairidh an sin, ri taobh na beinne.

b Theirig sìos an rathad seo, gabh an rathad gu do làmh cheàrr, gabh a' chiad rathad gu do làmh cheart agus bidh thu aig a' Phost-Oifis.

c Theirig sìos an rathad seo, gabh an rathad gu do làmh cheart, an sin gabh an rathad gu do làmh cheàrr aig a' bhùth agus bidh thu aig taigh Sheumais.

3 d 'Sann anns an taigh agamsa a tha am partaidh a-nochd.

e 'Sann air a' bhàta a tha Iain ag obair an-diugh.

f An ann a' dol dhachaigh a tha thu?

g An ann faisg air a' chladach a tha an taigh agad?

h An ann dubh a tha an càr agad?

i An ann anns a' bhàr a bha thu an-raoir nuair a bha mi aig an taigh agad?

j Chan ann riumsa a bha e a' ràdh sin idir.

k 'Sann anns an taigh-òsda seo a bha Queen Victoria a' fuireach nuair a bha i an seo.

l An ann an seo a bhios tu ag obair a-màireach?

m 'Sann anns a' mhadainn a bhios mi a' glanadh an taighe.

n Chan ann anns an taigh aig Mairead a dh'fhàg mi mo chòta idir.

o 'Sann an-diugh a rinn mi sin.

p An ann air a' bhòrd a chuireas mi na spàinean?

Pàirt Ochd deug/Part Eighteen

1 b Tha i nas àirde na té sam bith eile . . .
c Tha iad nas fheàrr na an fheadhainn anns a' bhaile mhór.
d Tha i nas motha na am balach.
e Tha e nas fhuaire na bha e an-dé.
f Tha i nas blàithe na còta.
g Tha e nas fhaide na am fear eile.
h Tha e nas miosa na bha e anns a' mhadainn.

2 Picture 1   The big girl: Tha mise nas motha na thusa.
The little girl: Tha mise nas lugha na thusa.
Picture 2   The big girl: The mise nas blàithe na thusa.
The little girl: Tha mise nas fhuaire na thusa.
Picture 3   The big girl: The mise nas brèagha na thusa.
The little girl: Tha mise nas fheàrr na thusa.
Picture 4   The little girl: Tha mise nas luaithe na thusa.

3 b 'Se Màiri as fhuaire (de'n dithis nighean).
c 'Se Màiri as fheàrr.
d 'Se Màiri as luaithe.

4 a 'S fheàrr leam leann. Or: Tha mi coma. Or: Cha toigh leam leann no uisge-beatha.

Pàirt Naoi deug/Part Nineteen

1 a Chunnaic Iain Seumas an-raoir nuair a bha e a' tighinn dhachaigh.
b Bha e shios aig a' bhùth.
c Bha greiseag.
d Bha e a' ràdh gu robh e a' cur paipear ùr air a' bhalla.
e Thubhairt Iain ri Seumas, 'Théid mise còmhla riut agus, nuair a bhios sinn deiseil, théid sinn a-mach airson drama bheag.'
f Chaidh iad a-staigh, chuir Seumas air an solas, shuidh iad sios agus ghabh iad cigarette.
g Cha toigh l': chan eil e a' smaoineachadh gu bheil e uabhasach brèagha idir.
h Aig deich uairean.
i Thubhairt e, 'Rinn sinn glé mhath – nì sinn an cidsin a-nise.'
j Bha iad deiseil aig cairteal gu dà uair dheug.
k Cha robh.
l Bha e ag iarraidh leann.
m Chuir e air an t-seacaid aige agus dh'fhalbh e.

2 In this order: **c** Bha mi ag obair shios anns a' bhùth anns a' mhadainn.   **e** A bheil e gu bhith deiseil?   **a** Chuala mi sin.   **d** Bha dithis.   **f** Dh'fhàg an nighean baga air a' bhus.   **b** Tha cabhag orm.

Pàirt Fichead/Part Twenty

1 a   Ciamar a tha thu–sibh?
  b   A bheil thu ga mo thuigsinn?
  c   An e tidsear (etc) a tha annad?
  d   Dé an t-ainm a tha ort?
  e   An robh an cnatan ort?
  f   A bheil thu ag iarraidh biadh?
  g   A bheil thu ag iarraidh uisge–leann . . .
  h   Dé ghabhas tu?
  i   A bheil thu fuar?
  j   A bheil thu ag iarraidh bainne anns a' chofaidh?
  k   Dé an uair a tha e?
  l   Dé na tha e?
  m   Am faod mi smocadh?
  n   Dé seòrsa a tha thu ag iarraidh?
  o   Có ás a tha thu?

2 a Ceàrr.   b Ceàrr.   c Ceart.   d Ceàrr.   e Ceart.
  f Ceart.   g Ceart.   h Ceàrr.   i Ceàrr.   j Ceàrr.
  k Ceàrr.   l Ceàrr.   m Ceart.   n Ceart.   o Ceart.
  p Ceàrr.   q Ceàrr.   r Ceart.   s Ceàrr.

3   Sample answers.
  a   Tha gu math, tapadh leat. Chan eil mi uabhasach math idir,
      tha eagal orm. Tha an cnatan orm.
  b   Bha mi ag obair. Bha mi a' glanadh an taighe. Bha mi a'
      bruidhinn ri Màiri. Bha mi anns a' bhùth. Cha robh càil.
  c   Dh'fhàg mi an taigh aig ochd uairean anns a' mhadainn, agus
      thàinig mi air ais aig cóig uairean feasgar. Cha robh mi
      a-muigh idir an-diugh.
  d   Dh'fhosgail mi an doras, chuir mi air an solas, thug mi biadh
      do'n chat, rinn mi mo dhinnear, rinn mi tì, bha mi a'
      smocadh, bha mi a' leughadh leabhar, bha mi a' sgrìobhadh
      litir, chuir mi air an telebhisean . . .
  e   Ghabh. Cha do ghabh. Ghabh mi brot, feòil agus buntàta,
      agus briosgaidean agus càise.
  f   Chan eil an t-acras orm ach tha am pathadh orm. The mi ag
      òl uisge, bainne, cofaidh, tì, leann ach chan eil mi ag ithe
      càil (dad).
  g   'S toigh l'. Cha toigh l'.
  h   Bithidh. Cha bhi.
  i   Tha. Chan eil. Tha mi nas fheàr (na bha mi). Chan eil mi
      nas fheàrr idir – tha mi nas miosa.
  j   Tha mi aig a' bhòrd – air a' bhus – anns a' char – anns a'
      bhàr.
  k   Tha Màiri còmhla rium. Chan eil duine còmhla rium.
  l   Tha Seumas – Iain – Anna – Oighrig . . .
  m   Tha e cairteal gu a h-ochd – lethuair an deidh a seachd – còig
      mionaidean gu aon uair deug . . .

n   'Se. Chan e. 'Se ministear–draibhear–nurs a tha annam.
o   'S ann. Chan ann. 'Sann á Dun Eideann a tha mi.
    Tha mi á Dun Eideann.
p   'S ann. Chan ann – Tha mi a' fuireach ann am baile beag.
q   Tha. Chan eil.
r   Tha. Chan eil – tha oidhche mhath ann.
s   Tha aon–a dhà–a trì . . .
t   Tha cóig sgillin, lethcheud sgillin, trì fichead sgillin, not,
    deich notaichean, ceud not, mìle not.
u   'S urrainn. Chan urrainn.
v   Tha briogais dhubh agam ach chan eil còta dubh agam idir.
w   Tha.
x   Tha beagan. Tha mi ag ionnsachadh Gàidhlig. Tha Gàidhlig
    gu leòr agam.
y   Bithidh. Cha bhi – tha mi ro thrang, tha eagal orm.
z   Tha!

Na faclan

The definitions given here relate to the way the words have been used in Can Seo. After every noun, the gender is given, followed by the form with the definite article and the plural.
Abbreviations: f. – feminine; m. – masculine.

a

a? *(question) A bheil? Is it?*
a *who, which, that*
a/a h- *his (with asp.); her*
a *colloquial form of* do
á/ás *from*
a bheil? *is/are/am? Question form of* tha
A' Bhliadhna Ur *The New Year*
a dhà *two*
a h-ochd *eight*
a h-uile *every, all*
aca *'iad' form of* aig
ach *except, but*
acras, m, *an t*-acras *hunger*
Tha an t- acras orm – I am hungry
agad *'thu' form of* aig
agam *'mi' form of* aig
agaibh *'sibh' form of* aig
againn *'sinn' form of* aig
agus *and*
aice *'i' form of* aig
aig *at, with, 'belonging to', 'in the possession of'*
aige *'e' form of* aig
ainm, m, *an t*-ainm, ainmeannan *name*
air *on; also 'e' form of the preposition*

air ais *back (adverb)*
Air do shlàinte! *Your health!*
airgead, m, *an t*-airgead *money*
airson *for*
àite, m, *an t*-àite, àitichean *place*
Alasdair *Alastair, Alexander*
Alba *Scotland*
Albannach, m, *an t*-Albannach, Albannaich *Scot*
am? *(question) Am bi? – Will be?*
am *their*
am *the*
a-mach *out(wards)*
amadan, m, *an t*-amadan, amadain *fool*
a-màireach *tomorrow*
Ameireaga *America*
a-muigh *outside*
an? *(question) An robh? – Was?*
an *their*
an/an t- *the*
an *in*
an còmhnaidh *always*
an dàrna *the second*
an deidh *after*

an dràsda *just now*
an e? *is it?*
an seo *here*
an sin *there, then*
an siud *there*
an-dé *yesterday*
an-diugh *today*
a-nise *now*
(ann) an/am *in*
ann *'e' form of '(ann) an';*
there, in it
Tha thu ann – It's you
Tha latha math ann – It's
a nice day
Anna *Ann, Anne*
annad *'thu' form of ann*
annam *'mi' form of ann*
anns *in (form used with the*
the definite article)
a-nochd *tonight*
an-raoir *last night*
aon/aonan *one*
ar *our*
ar fhichead *'over twenty'*
aran, m *an* t-aran *bread*
àrd *high, loud*
a-rithist *again, later*
ás *from (form used with the*
definite article)
a-staigh *inside*
a-steach *inside (direction)*

b

baga, m, *am* baga, bagaichean
bag
baile, m *am* baile, bailtean
village, town
baile mór, m *am* baile mór
large town, city
bainne, m, *am* bainne *milk*
balach, m, *am* balach, balaich
boy
balla, m, *am* balla, ballaichean
wall
banca, m, *am* banca,
bancaichean *bank*
bàr, m, *am* bàr *bar*
Barraigh *Barra*
bàta, m, *am* bàta, bàtaichean
boat

beachd, m, *am* beachd,
beachdan *opinion*
Dé do bheachd? – What is
your opinion?
beag *small*
beagan, m *a little*
bean, f, *a'* bhean *wife*
beinn, f, *a'* bheinn, beanntan
hill
beul, m, *am* beul *mouth*
Beurla, f, *a' Bheurla* *English*
bha *was, were – past tense*
of verb 'to be'
bheil *form of present tense*
of verb 'to be'
bheir *will give*
bhiodh *would be, used to be*
bhios *form of future of verb*
'to be'
bhitheas *form of future of*
verb 'to be'
bho *from: since*
bi *form of future of verb 'to*
be'
biadh, m, *am* biadh *food*
bidh *form of future of verb*
'to be'
bithidh *form of future of*
verb 'to be'
blàth *warm*
bliadhna, f, *a'* bhliadhna,
bliadhnaichean *year*
A' Bhliadhna Ur – The New
Year
Bliadhna Mhath Ur – Happy
New Year
bochd *poor*
bocsa, m, *am* bocsa,
bocsaichean *box*
bòidheach *beautiful*
bonaid, f, *a'* bhonaid,
bonaidean *bonnet, tammy*
bòrd, m, *am* bòrd, bùird *table*
botal, m, *am* botal, botail
bottle
brèagha *beautiful*
briogais, f, *a'* bhriogais,
briogaisean *trousers*
briosgaid, f, *a'* bhriosgaid,
briosgaidean *biscuit*

briste   *broken*
bròg, f, a' bhròg, brògan   *shoe*
brot, m, am brot   *broth, soup*
bruidhinn (ri)   *speaking (to)*
bu toigh leam   *I would like*
buidhe   *yellow*
buntàta, m, am buntàta
   potato, potatoes
bus, m, am bus, busaichean
   bus
bùth, f, a' bhùth, bùithtean
   shop

c

cabhag, f   *a hurry*
   Tha cabhag orm – *I am in
   a hurry*
càil   *anything*
   Chan eil càil – *nothing;
   There isn't anything*
   (Chan eil) càil ach –
   nothing but; only
   càil as ùr – *anything new*
cairteal, m   *quarter, quarter
   hour*
càise, m, an càise   *cheese*
càite?   *where?*
Calum   *Calum, Malcolm*
can   *say*
   can a-rithist e – *say it again*
   can seo – *say this*
   canaidh – *will say*
càr, m, an càr, càraichean   *car*
carson?   *why?*
cas, f, a' chas, casan   *foot, leg*
cat, m, an cat, cait   *cat*
Catriona   *Catriona, Catherine*
ceàrr   *wrong, lefthand*
ceart   *correct, righthand;
   properly*
   ceart gu leòr – *alright*
   ceart ma tha – *alright then*
cèic, f, a' chèic, céicean   *cake*
céile   *other*
   ri chéile – *with/to each other*
céilidh, m, an céilidh,
   céilidhean   *ceilidh*
ceithir   *four*

ceud   *hundred*
   ceud mìle fàilte – *a
   hundred thousand
   welcomes*
chaidh   *went*
chan e   *it is not*
chan eil   *it is not – negative
   of present tense of
   verb 'to be'*
   chan eil càil – *nothing;
   There isn't anything*
chì   *will see*
cho (ri)   *as; so*
chuala   *heard*
chun   *to*
chunnaic   *saw*
cia mheud?   *how many?*
ciamar a?   *how?*
cidsin, m, an cidsin   *kitchen*
cladach, m, an cladach,
   cladaichean   *shore*
clò, m, an clò, clòitean   *tweed*
cluinn   *hear*
   cluinnidh – *will hear*
   cluinntinn – *hearing*
cnatan, m, an cnatan
   the common cold
   Tha an cnatan orm – *I have
   a cold*
có (a)?   *who, whom?*
có às?   *where from*
có's fheàrr leat?   *which/
   whom do you prefer?*
có tha ann?   *Who is it?*
còcaire, m, an còcaire, còcairean
   cook, chef
co-dhiù   *anyway*
cofaidh, m, an cofaidh,
   cofaidhean   *coffee*
còig   *five*
coiseachd   *walking*
coma   *indifferent*
   Tha mi coma – *I don't care*
   's coma – *it doesn't matter*
   coma co-dhiù –
   completely indifferent
còmhla ri   *(along) with*
còta, m, an còta, còtaichean
   coat
cù, m, an cù, coin   *dog*

cuairt, f, *a' chuairt, cuairtean*
   a walk, trip
cuideachd   *also*
cuideigin   *someone*
cuir   *put, send*
cuin a?   *when?*
cupa, m, *an* cupa, cupannan
   cup
cur   *putting, sending*
cus   *too much*

d

dà   *two*
dad   *anything*
dàrna   *second*
de   *of*
   sgith de - tired of
dé (a)?   *what?*
   Dé a' Ghàidhlig a tha air?
   What is the Gaelic for? –
   Dé an t-ainm a tha air? –
   What is the name of?
   Dé an uair a tha e? –
   What is the time?
   Dé do bheachd? –
   What is your opinion?
   Dé tha ann? – What is it?
   Dé tha a' dol? – What
   is doing?
dé cho?   *how? (with adjective)*
dé na?   *how much?*
dé seòrsa?   *what kind?*
deagh   *good*
   Air do dheagh shlàinte –
   Your good health!
dèan   *do, make; also form of*
   the future
dèanamh   *doing, making*
   dol a dhèanamh –
   going to do
dearg   *red*
deich   *ten*
deiseil   *ready, finished*
deoch, f, *'an* deoch, deochan
   drink
   Tha an deoch orm – I am
   drunk
deug   *-teen*
   naoi deug – nineteen
dha   *'e' form of do*

dhà   *a dhà – two*
dhachaigh   *home (adverb)*
dhaibh   *'iad' form of do*
dhe/dheth   *'e' form of de; off*
   (adverb)
dhi   *'i' form of de*
   'i' form of do
dhibh   *'iad' form of de*
dhinn   *'sinn' form of de*
dhiom   *'mi' form of de*
dhiot   *'thu' form of de*
dhiàbh   *'iad' form of de*
dhomh   *'mi' form of do*
dhuibh   *'sibh' form of do*
dhuinn   *'sinn' form of do*
dhut   *'thu' form of do*
Di-ardaoin   *Thursday*
Di-ciadaoin   *Wednesday*
Di-Dòmhnaich   *Sunday*
Di-haoine   *Friday*
Di-luain   *Monday*
Di-màirt   *Tuesday*
dinnear, f, *an* dinnear,
   dinnearan   *dinner*
Di-sathurna   *Saturday*
dithis   *two (people)*
do   *to*
do   *your (sing.)*
dòcha   *'s dòcha (gu) –*
   perhaps
dol   *going*
   Dé tha a' dol? – What's
   doing?
   dol a dhèanamh – going to
   do
   dol a sheinn – going to sing
Dòmhnall   *Donald*
dona   *bad*
donn   *brown*
doras, m, *an* doras, dorsan
   door
dotair, m, *an* dotair, dotairean
   doctor
draibhear, m, *an* draibhear,
   draibhearan   *driver*
drama, f, *an* drama,
   dramaichean   *dram*
dubh   *black*
duilich   *sorry*
   Tha mi duilich? I'm sorry

dùin   *shut, close*
   dùin do bheul – shut
   your mouth
duine, m, *an* duine, daoine
   man, person
Dun Eideann   *Edinburgh*
dùnadh   *closing, shutting*
dusan, m, *an* dusan, dusain
   dozen

e

e   *he, him, it (masc.)*
eagal, m, *an* t-eagal   *fear*
   Tha eagal orm – I'm afraid
eile   *other, else*
eilean, m, *an* t-eilean, eileanan
   island
   An t-Eilean
   Sgitheanach – Skye
Eilidh   *Helen*
esan   *emphatic form of* e

f

facal, m, *am* facal, faclan
   word
   Na faclan – Vocabulary
fad   *'the whole of'*
   fad na h-oidhche – all night
fada   *far, long (of time)*
fàg   *leave*
fàgail   *leaving*
faic   *see; also form of the*
   future
faicinn   *seeing*
fàilte   *welcome*
   ceud mile fàilte – a
   hundred thousand
   welcomes
faisg air   *near*
falamh   *empty*
falbh   *going; going away*
falt, m, *am* falt   *hair*
faodaidh   *may*
fàs   *grow, become; growing,*
   becoming
feadhainn, f, *an* fheadhainn
   some, ones
fear, m, *am* fear, fir/feadhainn
   man, one (masc.)

feasgar, m, *am* feasgar,
   feasgair   *evening; in the*
   evening
feòil, f, *an* fheòil   *meat*
feumaidh   *must*
fhathast   *yet, still*
fheàrr   *better*
   có's fheàrr leat? – which/
   whom do you prefer?
   's fheàrr dhomh – I'd better
   's fheàrr leam – I prefer
fhéin, fhìn   *self*
fhios   see *fios*
fhuair   *got*
fichead   *twenty*
   dà fhichead – forty
   aon ar fhichead –
   twenty one
fios   *knowledge, information*
   Tha fhios agam – I know
fliuch   *wet*
fo   *under*
fón, m, *am* fón, fónaichean
   telephone
forca, f, *an* fhorca, forcaichean
   fork
fosgail   *open*
fuar   *cold*
fuireach   *waiting, staying,*
   living
fuirich (ri)   *wait (for)*

g

ga, gad/ga do, gam/ga mo,
   gam/gan etc.   *'Pronoun*
   objects' with verbal noun:
   see Lesson 14 and Summary
   of Grammar on page 99
gabh   *take (accept), have*
   gabh mo leisgeul – excuse
   me
gabhail   *taking, having*
Gàidhlig, f, *a'* Ghàidhlig
   Gaelic
ge ta   *however*
geal   *white*
geansaidh, m, *an* geansaidh,
   geansaidhean   *pullover*
gin   *any (of number)*
glan   *clean*

glanadh *cleaning*
Glaschu *Glasgow*
glé *quite; very*
    glé mhath: quite good, very good; very well, all right
gloinne, f, *a'* ghloinne, gloinnichean *glass*
gorm *blue*
gràdh, m, *an* gràdh *love, beloved*
grànda *ugly, awful*
greas ort *hurry up*
greiseag *a while*
gu *to*
gu, gum, gun *that (eg. with reported speech)*
gu bhith *almost*
gu dearbh *indeed, certainly*
    gu dearbh fhéin – *most certainly*
gu leòr *enough, plenty*
gu leth *'and a half'*
gu math *well*
gum, gun *that (eg. with reported speech)*
gun teagamh *certainly, without a doubt*

h

Hearach *Harrisman*

i

i *she, her, it (fem.)*
iad *they, them*
iadsan *emphatic form of* iad
Iain *Ian, John*
iarraidh *wanting, asking for*
iasg, m, *an* t-iasg *fish*
an t-iasgair, m, iasgairean *fisherman*
idir *at all*
Ìle *Islay*
ìm, m, *an* t-ìm *butter*
innis (do) *tell (to)*
innte *'i' form of* ann
ionnsachadh *learning*
is *form of* agus
is *verb: see –* 's, 'sann, 'se *(Lessons 16, 17).*
ise *emphatic form of* i.

ith *eat*
ithe *eating*

k

kilo *kilo*

l

làmh, f, *an* làmh, làmhan *hand*
latha, m, *an* latha, lathaichean *day*
    Tha latha math ann –
    It's a nice day
    Nach ann ann a
    tha an latha math?
    – What a nice day it is
    Latha na Sàbaid –
    Sunday, the Sabbath
le/leis *with, by; 'belonging to'*
leabhar, m, *an* leabhar, leabhraichean *book*
leam *'mi' form of* le
leann, m, *an* leann *beer*
leat *'thu' form of* le
    leat fhéin – *by yourself*
leatha *'i' form of* le
leibh *'sibh' form of* le
leinn *'sinn' form of* le
leis *'e' form of* le
    also form of preposition
    used with the definite article
Leódhas *Lewis*
leotha *'iad' form of* le
leth, f, *an* leth *half*
lethcheud *fifty*
lethuair *half-an-hour*
litir, f, *an* litir, litrichean *letter*
luath *fast*
lugha *smaller*
Lunnain *London*

m

ma *if*
ma tha *then, in that case*
Macleòid *MacLeod*
madainn, f, *a'* mhadainn *morning*
Mairead *Margaret*
Màiri *Mary*
mar seo *this way*
mar sin *that way, so*

mar sin leat *goodbye*
math *good*
   's math sin – *that's good*
mi *I, me*
mìle, m, *am* mìle, mìltean
   mile, thousand
ministear, m, *am* ministear,
   ministearan *minister*
mionaid, f, *a'* mhionaid,
   mionaidean *minute*
mise *emphatic form of* mi
   'I am'
mo *my*
mór *big*
móran *much, a lot, many*
motha *bigger*
mu *about, around*
mu dheireadh *at last; the last*
Muile *Mull*
muir, m, *am* muir *sea*

n

na *than*
na *do not*
na/na h- *the – plural form*
Na Hearadh *Harris*
Nach? *(negative question)*
   Nach eil? Isn't it.
   Nach e a tha fuar an-
   diugh? – Isn't it cold today?
   Nach ann ann a tha an
   latha math? Isn't it a nice
   day?
naoi *nine*
nì *will do/make*
nighean, f, *an* nighean,
   nighnean/(na h-) ighnean
   girl, daughter
no *or, nor*
Nollaig *Christmas*
not, m, *an* not, notaichean
   Pound, pound note
nuair a *when*
nurs, f, *an* nurs, nursaichean
   nurse

o

obair *working; work*
ochd *eight*
oidhche, f, *an* oidhche,

oidhcheannan *night*
   Oidhche na Bliadhna Uir –
   New Year's Eve
Oighrig *Effie*
oirbh *'sibh' form of* air
oirnn *'sinn' form of* air
oirre *'i' form of* air
òl *drink; drinking*
òran, m, *an t-*òran, òrain
   song
orm *'mi' form of* air
orra *'iad' form of* air
ospadal, m, *an t-*ospadal,
   ospadail *hospital*
ort *'thu' form of* air

p

pacaid, f, *a'* phacaid, pacaidean
   packet
paipear, m, *am* paipear,
   paipearan *paper*
pairseal, m, *am* pairseal,
   pairsealan *parcel*
pàirt, f, *a'* phàirt, pàirtean
   part
partaidh, m, *am* partaidh,
   partaidhean *party*
pathadh, m, *am* pathadh
   thirst
   Tha am pathadh orm – I am
   thirsty
peann, m, *am* peann, pinn
   pen
pinnt, f, *a'* phinnt, pinntean
   pint
pìos, m, *am* pìos, pìosan
   piece
Portrìgh *Portree*
Post Oifis, m, *am* Post Oifis
   Post Office

r

ràdh *saying*
rànail *crying*
rathad, m, *an* rathad,
   rathaidean *road, way*
reacord, m, *an* reacord,
   reacordan *record*
ri/ris *to, 'with'*
ri chéile *to/with each other*

ri taobh   *beside*
rinn   *did, made*
ris   *form of* ri *used with*
   definite article
   'e' form or ri
rithe   *'i' form of* ri
rium   *'mi' form of* ri
riut   *'thu' form of* ri
riutha   *'iad' form of* ri
rud, m, *an* rud, rudan   *thing*
   rud sam bith – anything
ruibh   *'sibh' form of* ri
ruinn   *'sinn' form of* ri
rùm, m, *an* rùm, rumannan
   room
ro   *too*
robh   *was/were: form of the*
   past tense of the verb 'to be'

s

's   *form of* agus
's   *form of the verb* is
   's coma – it doesn't matter
   's dòcha (gu) – maybe
   's fheàrr dhomh – I'd better
   's fheàrr leam – I prefer
   's math sin – that's good
   's toigh leam – I like
-sa/-se/-san   *emphatic*
   pronoun endings
salainn, m, *an* salainn   *salt*
saoil a/am/an?   *do you think?*
   Saoil an toir thu dhomh? –
   Do you think you could
   (will) give me?
sam bith   *any*
samhradh, m, *an* samhradh
   summer
'sann   *it is*
Sasunnach, m, *an* Sasunnach,
   Sasunnaich   *Englishman*
'se   *it is*
seacaid, f, *an t-*seacaid,
   seacaidean   *jacket*
seachd   *seven*
seachdain, f, *an t-*seachdain,
   seachdainean   *week*
seadh   *yes (of*
   acknowledgment)

séadhar, m, *an* séadhar,
   séadhraichean   *chair*
seall   *look (at), see*
seinn   *sing; singing*
seo   *this; this is; here is*
   seo agad – here, here is
   here you have
Seònaid   *Janet, Jessie*
seòrsa, m, *an* seòrsa,
   seòrsaichean   *kind*
Seumas   *James*
sgian, f, *an* sgian, sgeinean
   knife
sgillin, f, *an* sgillin, sgillinean
   penny, pence
sgiort, f, *an* sgiort,
   sgiortaichean   *skirt*
sgìth   *tired*
   sgìth de – tired of
sgrìobhadh   *writing*
sguir   *stop; end*
shios   *down*
   shios am baile – down (in
   the) town
shuas   *up*
sia   *six*
sibh   *you (plural and polite*
   form)
sibhse   *emphatic form of* sibh
Sìm   *Simon*
sin   *that; that is; there is*
sinn   *we, us*
sinne   *emphatic form of* sinn
sios   *down(wards)*
   sios am baile – down town
siùcar, m, *an* siùcar   *sugar*
siud   *that; that is; there is*
siuthad   *go on*
slàinte!   *cheers!*
   Air do slàinte! – Your
   health!
   Air do dheagh shlàinte! –
   Your good health!
smaoineachadh   *thinking*
smocadh   *smoking*
smùid, f, *an* smùid   *binge*
snog   *nice, pretty*
solas, m, *an* solas, solais   *light*
spàin, f, *an* spàin, spàinean
   spoon, spoonful

sporan, m, *an* sporan, sporain *purse, sporran*

spòrs, f, spòrs *fun*

stad *stop*

suas *up(wards)*

suidh *sit*

suidhe *sitting*

sùil, f, *an t*-sùil, sùilean *eye*

t

taigh, m, *an* taigh, taighean *house*
aig an taigh – at home

taigh-òsda, m, *an* taigh-òsda *hotel*

tapadh leat *thank you (sing.)*
Tapadh leibh – Thank you (plural and polite form)

tartan, m, *an* tartan *tartan*

taxaidh, m, *an* taxaidh, taxaidhean *taxi*

té *woman, one (fem.)*

téid *will go*

teine, *an* teine, m, teinichean *fire*

telebhisean, *an* telebhisean, m, *television*

teth *hot*

tha *am/are/is: present tense of verb 'to be'*

thàinig *came*

thall *over(there)*

thalla *go, go away*

théid *will go*

theirig *go*

thig *come; will come*
thig a-staigh – come in

thoir (do, le, gu) *give, take, bring*
an toir thu? – will you give?

thu *you (sing.)*

thubhairt *said*

thug *gave, took, brought*

thugad *to you*

thusa *emphatic form of thu 'you are'*

tì, *an* f *tea*

an tidsear, f, tidsearan *teacher teacher*

tig *will come*

tighinn *coming*

Tiriodh *Tiree*

toigh *'S toigh leam – I like*

toilichte *happy, pleased*

toirt *giving, taking, bringing*

Tormod *Norman*

trang *busy*

trì *three*

tric *often*

trobhad *come (here)*

trod *quarrelling, 'getting on at', nagging*

tu *you (sing.)*

tuigsinn *understanding*

tuilleadh *more; anymore*

u

uabhasach *very; awfully; terrible*

uaine *green*

uair *hour, time*
dé an uair a tha e? – what time is it?
uair sam bith – anytime
an uair sin – then

ud *that*

ugh, m, *an t*-ugh, uighean *egg*

Uibhist *Uist*

uile *all, every*
a h-uile – every

uinnean, m, *an t*-uinnean, uinneanan *onion*

uinneag, f, *an* uinneag, uinneagan *window*

uisge, m, *an t*-uisge *water, rain*
Tha an t-uisge ann – It is raining

uisge-beatha, m, *an t*-uisge-beatha *whisky*

ùr *new*
càil as ùr – anything new

urrainn *'S urrainn dhomh – I can*

Leabhraichean/Bibliography

tionaries DWELLY, EDWARD *The illustrated Gaelic–English dictionary, containing every Gaelic word and meaning given in all previously published dictionaries and a great number never in print before, to which is prefixed a concise Gaelic grammar* Glasgow: Gairm Publications, 8th edn. 1973. ISBN 901771 44 9 (The most comprehensive Gaelic–English dictionary.)

RENTON, R. W. and MACDONALD, J. A. eds. *Abair: Gaelic–English, English–Gaelic dictionary* Glasgow: Mingulay Publications, 1979. ISBN 906675 00 6.

THOMSON, D. S. ed *New English–Gaelic dictionary* Glasgow: Gairm Publications, cased and paperback 1981. ISBN 901771 65 1 and 901771 66 X

rammar BLACKLAW, BILL *Bun-chùrsa Gàidhlig: Scottish Gaelic, a progressive course* Glasgow University, Celtic Department, 1978. ISBN 903204 09 6

Scottish Gaelic verb Awtrey, 3 Munro Street, Antigonish, Nova Scotia, 1976. (A 'verb wheel' giving all parts of the main Gaelic verbs.)

General COLLINSON, FRANCIS *The traditional and national music of Scotland* London: Routledge and Kegan Paul, 1966. ISBN 7100 1213 6

FRASER DARLING, F. and MORTON BOYD, J. *The Highlands and Islands* (New Naturalist) Glasgow: Collins, 1964. ISBN 219447 3

GRANT, I. F. *Highland folk ways* London: Routledge and Kegan Paul, 1961; n.e. paperpack 1975. ISBN 7100 1466 X and 7100 8064 6

HUNTER, JAMES *The making of the crofting community* Edinburgh: John Donald, 1976. ISBN 0 85976 014 6

MACKINNON, K. *The lion's tongue: the story of the Gaelic language* Stornoway: Club Leabhar, 1974. op. ISBN 902706 22 5

MACLEAN, C. I. *The Highlands* Stornaway: Club Leabhar, 1975. ISBN 902706 36 5 and 902706 35 7

MENZIES, GORDON ed. *Who are the Scots?* London: BBC, 1971. op. ISBN 563 10597 6

MURRAY, W. H. *The Islands of Western Scotland: Inner and Outer Hebrides* London: Eyre Methuen, paperback 1973. ISBN 413 30380 2

NICOLAISEN, W. F. H. *Scottish place-names: their study and significance* London: Batsford, 1976. ISBN 0 7134 3253 5

ORDNANCE SURVEY *Place-names on maps of Scotland and Wales* O.S., 1979. op.

PEDERSEN, ROY N. *Gaelic place-names maps* The author, 6 Drumderan Road, Inverness.

POWELL, T. G. E. *The Celts* London: Thames and Hudson, 1980. ISBN 500 02094 9

PREBBLE, JOHN *The Highland clearances* London: Secker and Warburg, 1963. ISBN 436 38604 6; Penguin Books, 1969. ISBN 14 002837 4

PREBBLE, JOHN *Culloden* London: Secker and Warburg, 1961. ISBN 436 38601 1; Penguin Books, 1970. ISBN 14 002576 6

PREBBLE, JOHN *Glencoe: the story of the massacre* London: Secker and Warburg, 1966. ISBN 436 38602 X; Penguin Books, 1969. ISBN 14 002897 8

SCHOOL OF SCOTTISH STUDIES *The Scottish tradition* Edinburgh: The School. (A series of disc/cassettes of traditional Gaelic and Scots music, with accompanying booklets)

THOMSON, D. S. ed. *Gàidhlig ann an Albainn/Gaelic in Scotland* Glasgow: Gairm Publications, 1976. ISBN 901771 54 6

THOMSON, D. S. *An introduction to Gaelic poetry* London: Gollancz, 1974. ISBN 575 01383 4

Periodicals *North 7* Bi-monthly publication of the Highlands and Islands Development Board, Bridge House, Bank Street, Inverness. (Deals with all aspects of contemporary Highland life)

Books in Gaelic GAELIC BOOKS COUNCIL *Leabhraichean Gàidhlig* Issued by the Gaelic Books Council, University of Glasgow 1975 n.e. in preparation. (A comprehensive list of Gaelic books in print)

NATIONAL BOOK LEAGUE *The Highlands and Islands of Scotland: a catalogue of books currently in print* Inverness, 1971 n.e. due 1979